KB171879

살아갈 수 밖에

살아갈 수 밖에

헤매기달인

전예원

구현

최민희

김보화

이로새

이현정(풀꽃화가)

글Ego

들어가며

삶이라는 긴 여행에서 우리는 어디쯤 서있을까. 그곳이 어디든 박수 받아 마땅하다. 따뜻한 봄 햇살부터 볼을 때리는 차가운 겨울바람까지 온몸으로 맞으며 걸어왔을 내가, 그리고 당신이 대견하다.

여행을 하다 보면 행복에 겨워 눈물 나는 순간도, 집으로 돌아가고 싶은 순간도 있다. 하지만 결국 위태로운 파도타기를 이겨내고 여행을 마친다. 순간의 작은 행복들이 여행을 계속할 힘을 주기 때문이다.

하루를 마치고 침대에 누우면 많은 생각과 걱정이 머릿속을 채운다. 이유 없는 애정에 대한 경계심과 내일의 걱정들이 가득하다. 모두에게 사랑받고, 모든 일을 잘 해내고 싶은 욕심이 잔뜩 차오를 때면 그 반대편으로 걸어보자. 지금껏 내가 걸어온 기특한 여정이 눈앞에 펼쳐져 있다. 이 여정에 웃음과 눈물로 쌓아온 사소함들이 나를 일으켜주리라 믿는다. 이 굳건한 믿음이 오늘도 나를 살게 한다.

그러니, 살아갈 수밖에.

구현, 김보화, 이로새, 헤매기달인, 이현정, 최민희의 마음을 담아

- 공동저자 中 전예원

차 례

사각지대

혜매기달인

혜매기달인

2010년 컴퓨터공학과에 입학했다. 세상에서 하고 싶은 게 너무 많다. 하고 싶은 걸 다 하고 나니 대학교만 거의 십 년 가까이 다녔다. 다채로운 경험으로 하루하루 헤매는 삶 자체를 사랑한다. 그리고 그 흔적이 서툴더라도 글로 풀어내길 즐긴다. 언젠가 그 글들을 엮어 나누는 것 또한 하고 싶은 것 중 하나다.

instagram: @hemegigi

2012년 5월 4일.

정민은 아직도 그날을 기억한다. 그날은 유난히 날이 맑았다. 5월의 하늘답게 파란 하늘에 새하얀 뭉게구름이 펼쳐져 있었고 초록색 잔디가 바람에 맞춰 싱그럽게 흔들렸다. 스물두 살 대학생으로 캠퍼스 라이프를 누리며 친구들과 함께 도서관에 가기 딱 좋은, 그런 날이었다.

완벽한 풍경과 다르게 정민의 머리는 아주 멍했다. 오늘 오전 9시까지 제출인 교환학생 지원서를 쓰느라 밤을 꼴딱 새웠기 때문이었다. 특히 정민이 지원하는 영어권 교환학생은 비영어권보다 늘 희망자가 많아 요구사항이 더 까다로웠다. 기본적으로 꽤 높은 학점과 영어성적에, 자기소개서 형식의 기나긴 글짓기, 지원동기에 대한 영상 편집, 그리고 학업 계획에 대한 구체적인 프레젠테이션 문서까지 있었다. 꼭 붙어보겠다고 한국어와 영어, 두 가지 버전으로 정신없이 준비하다 보니 해가 금방 떴다.

교환학생은 정민의 '대학 생활 필수 버킷리스트' 중의 하나였다. 별이 5개나 쳐져 있는, 가장 하고 싶은 것이었다. 여러 국가의 여러 대학교를 선택할 수 있었지만, 그중에서도 정민이 꼭 가고 싶은 곳은 영국의 옥스퍼드였다. '누구나 알만한 세계적인 명문대에서 공부 한번 해보고 싶다!'라는 마음이 가장 컸다.

중고등학교 때 공부 좀 한다는 여느 학생들처럼 정민의 꿈도 한때는 의대 진학이었다. 그때는 딱히 의사가 되고 싶어서라기보단 공부 잘하는 학생들이 택하는 1지망이어서가 더 컸다. 하지만 현재는 의대 진학에 실패하고 공대에 왔다. 고등학교를 갓 졸업했을 때는 정민은 자신이 목표한 만큼 공부를 잘하지 못했다는 생각에 그 결과가 아쉬웠다. 하지만 막상 일반 대학교에 다녀보니, 공부가 전부가 아니고 고등학교보다 대학교에서 해낼 수 있는 것들도 생각보다 다양하다는 것을 깨달았다. 그래서 그때부터 정민은 마음을 바꿔 먹었다. 의대는 아니더라도 일반 대학에서 최대한 많은 경험을 해서 자신의 선택이 틀리지 않았다는 것을 스스로 증명하기로. 교환학생 외에도 정민의 '대학 생활 버킷리스트'에는 정말 많은 것들이 있었다. 경영학과 복수전공, 교내 프로그래밍 학회 활동, 연합 동아리 활동, 이공계 장학금 타기, 대학교 총장상 받기 등……. 대학생이면 한 번쯤 꿈꿨을 것들이었다.

"정민아, 너 어제 밤새웠다고 하지 않았어? 낮잠 좀 가고 도서관에 가는 게 낫지 않아?"

"그러게, 나도 그럴 줄 알았는데 오늘은 이상하게 잠이 더 이상 안 오네. 아무래도 날씨가 좋아서 그런가 봐."

친구의 걱정을 들으며 정민 자신도 오늘따라 잠이 오지 않는 게 이상하다고 생각했다. 교환학생 지원서 제출과는 별개로 2개의 과목의 퀴즈가 다음 주에 기다리고 있긴 했다. 그게 마음이 쓰이는 건가? 오늘 오전 9시 마감인 지원서 제출은 오전 7시 반에 사실 끝났었다. 그런데 그 이후에 뭐 이리 정신이 말똥한지 커피 한 잔 마시지 않았는데도 이상하게 잠이 오지 않았다. 아니면 찜찜한 구석만 가득했던 남자 친구 채훈에게 거의 헤어지자는 메시지를 보내고 3일 만에 드디어 답장 받아서인가?

동기들과 함께 볕 좋은 도서관 꼭대기에 있는 카페에서 커피를 한잔 하고 공부를 하기로 했다. 꼭대기 층인 5층까지 천천히 계단을 올라갈 때였다.

- 띠링.

갑자기 핸드폰에 메시지가 도착했다. 그런데 조금 이상했다. 정민뿐만 아니라 같이 있던 동기들의 핸드폰에서도 동시에 메신저가 울렸다. 이제까지 느껴본 적 없는 싸한 기시감이 들었다. 괜한 촉은 그때부터 있던 거였을까.

[부고]

장채훈 본인 상

- 빈소: 인천 XXX 장례식장 5호실

- **발인: 5월 5일 X시**

괭장히 익숙한 이름이 쓰여있었다. 지금 냉전 중인 남자 친구, 채훈의 이름이었다. 과 CC였기에, 함께 있는 동기들 사이로 어색한 침묵이 감돌았다. 정민의 목에서 새된 소리가 나왔다. 미처 목소리를 낼 준비를 내지 않았는데 먼저 튀어나온 소리 같았다.

"와, 누가 요새 이런 장난을 쳐? 만우절도 지났는데."

하지만 아무도 정민의 말에 대답하지 않았다. 영화 같은 설정에 모두 자신의 눈코입을 어떻게 움직여야 하는지 까먹은 표정이었다. 정민은 이 말도 안 되는 상황이 도무지 이해가 가지 않았다. 오늘 새벽에 정민은 채훈에게 문자를 받았다. 어제까지 살아있던 사람은 당연히 오늘도 살아있어야 한다. 그런데 왜 죽었다는 거지? 정민은 채훈이 사람들을 시켜 못된 거짓말을 한다고 믿기로 했다. 아니다. 정민은 비련의 영화 주인공이 되는 꿈을 꾸고 있는 것 같았다. 어제부터 밤을 새운 줄 알았는데 사실은 밤을 새운 게 아니라 지원서를 제출하고 졸려서 기절했던 거다. 꿈속이다, 그렇게 믿는 편이 차라리 나아 보였다.

저 멀리서 채훈보다 한 학번 위의 선배가 핸드폰을 들고 달려왔다.

"정민아, 이거 06학번 장채훈 맞지? 나 지금 이상한 문자를 받았는데……."

영화에서처럼 갑자기 모든 소리가 윙윙거리기 시작했다. 세상이 멈췄다. 도서관 계단 벽에 가득 칠해진 빨간 페인트가 피같이 느껴졌다. 새빨간 피가 폭포수처럼 정민에게 쏟아지는 것 같았다. 이 피는 누구의 피일까, 채훈의 피인 것만 같았다. 끊임없이 솟아 나오는 계단에서 새빨간 피의 폭포수가 정민에게 쏟아졌다. 채훈의 핏물에 정민은 서서히 잠겨가는 느낌이 들었다. 하지만 이건 거짓말인 게 분명했다. 정민은 자신이 도서관 빨간 계단에 서 있는지 채훈의 피로 만들어진 거대한 호수에 잠겨있는지 헷갈렸다. 그럴 리가 없었다.

정민과 채훈은 500여 일 넘게 사귄 CC, 캠퍼스 커플이었다.

정민은 개강 파티에서 복학생 채훈을 처음 만났다. 신입생이 아닌 선배로서 처음 참석하는 개강 파티였다. 잘생긴 선배가 복학한다고 해서 누군가 했더니 그게 채훈이었다. 채훈은 180이 훌쩍 넘는 큰 키에 한참 유행하던 연예인을 닮은 시원시원한 이목구비, 다부진 어깨를 가지고 있었다. 웨이트 트레이닝, 헬스장 같은 개념이 익숙하지도 않을 때라 채훈의 어깨는 정민에게 궁금증을 불러왔다. 어떤 운동을 하는지부터 시작한 둘의 대화는 끝이 없었다.

채훈은 하고 싶은 게 많은 사람이었다. 그의 하루하루는 정민처럼 대학 생활에서 하고 싶은 것들로 가득 채워져 있었다. 공대생이면서 외무고시를 준비했고, 수학 과외를 그룹으로 두 팀이나 하고 있었다. 학점을 놓치지 않으려 추가로 프로그래밍 학원에 다녔고, 꾸준히 유도와 합기도를 하고 있었다. 또한 그는 새로운 것을 추구하는 성향이었는데 정민보다 더하면 더했지, 덜하진 않았다. 최근에는 테니스를 새로 시작했으며 지난주부터 드럼을 배우고 있다 했다. 정민은 대학 생활을 수많은 경험으로 채우는 채훈이 자신과 비슷하면서도 묘하게 다르게 느껴졌다. 정민의 심장이 두근거리기 시작했다.

얼마 지나지 않아 당연한 순서로 둘은 캠퍼스 커플이 되었다. 정민과 채훈의 연애는 꽤 잘 맞았다. 정민 역시 대학 생활의 버킷리스트를 이루겠다고 꽤 많은 활동을 하고 있었다. 대형 소프트웨어 공모전 지원, 3개의 동아리 활동에, 복수전공, 교환학생 준비까지……. 정민의 일상은 채훈만큼이나 아주 바빴다. 그러다 보니 둘의 연애는 매일 붙어 있는 캠퍼스 커플의 여느 연애와는 달랐다. 바쁜 커플의 연애는 하루에 한 두어 번 정도의 연락에 일주일에 한두 번의 데이트, 그걸로 충분했다. 이에 대해 정민은 불만이 없었다. 오히려 그가 같은 부류의 사람이라 다행이라 생각했다. 함께 미래를 향해 달리며 서로의 꿈을 응원해 주는 사람이 연인이라니 정민은 정말 감사했다.

하지만 가끔 이상한 점이 있었다. 일주일에 한 번 겨우 보는 채훈과의 데이트는 늘 저녁 9시쯤이면 끝났다. 그러고는 다음 날 새벽 3시 4시쯤이면 시간이 꽤 지난 메시지에 대한 답장이 왔다. 가끔은 그 시간까지 깨어있던 정민이 잽싸게 다시 답장하면, 채훈은 다시 답이 없었다. 그리고 다시 낮 12시, 1시면 다시 언제 그랬냐는 듯 빠르게 답이 왔다. 처음에는 정민은 채훈의 빽빽한 스케줄을 생각하며 그럴 수 있겠거니 하고 넘겼다. 하지만 어느 순간부터 유난히 매주 금요일, 토요일이 이런 일이 생긴다는 것을 깨달았다. 그다음부터 정민의 마음속에 불만이 싹트기 시작했다. 평일에 종일 바쁘니 주말을 틈타 데이트도 하고 친구도 만나나 보다 이중 약속을 잡나 보다 이 정도로 이해하기로 했다. 그래도 마음 한편은 여전히 찝찝했다.

두 달 전쯤 토요일 오후에는 채훈의 메신저 계정으로 채훈의 여동생이 정민에게 굉장히 낯 뜨거운 질문을 했다. 자신의 오빠와 뽀뽀는 했는지, 키스는 했는지, 잠자리는 했는지, 사촌 사이라도 말하기 어려운 질문을 계속해 왔다. 점점 이상하다 느끼던 찰나, 갑자기 메신저 말투가 다시 채훈으로 바뀌었다. 채훈은 급히 사과하면서 설거지 중에 동생이 잠깐 핸드폰으로 못된 장난을 친 거라 했다. 그날 정민은 채훈이 가족과 집에 있는지 몰랐었다. 왜 오늘 집이라고 얘기를 하지 않았는지 물어보려 전화하니 채훈은 받지 않았다. 가족과 함께 있어 전화가 힘들다 했다. 그래, 가족과 시간을 보내면 전화 받기 쉽지 않지, 그럴 수 있지, 그래도 연락이 돼서 다행이네, 이런 생각을 하며 정민은 또 찜찜하게 넘어갔다.

이주 전에도 또 일이 있었다. 을왕리 바다를 가는 고속도로에서 요금을 결제하기 위해 정민이 채훈의 지갑에서 카드를 꺼내줄 때였다. 하이패스 카드와 함께 여자 증명사진이 딸려 나왔다. 중단발의 살짝 통통한 얼굴의 여자였다. 채훈과 나이가 비슷하거나 더 많아 보이는 걸 보아 여동생은 아닌 것 같았다. 정민은 당연히 이 사진이 누구인지 물어봤다. 친누나처럼 따르는 사촌 누나와 같이 운전면허증 사진을 찍으러 갔다가 누나가 남은 사진을 나누어 준거라 했다. 지갑에서 빼야 했는데 잊고 있었다 했다. 정민은 애써 자신이 고등학교 졸업 사진을 처음 찍었을 때를 떠올렸다. 그래, 그때 친한 친구들끼리 증명사진을 공유하곤 했었지, 친한 사이끼리 서로 사진 공유할 수 있잖아, 라고 애써 넘어가기로 했다.

이러한 몇 가지 이상한 점을 깊이 신경 쓰지 않는다면, 정민은 채훈과 함께하는 시간이 여전히 특별했다. 채훈은 정민보다 더 많이 자극적인 것을 즐기고 도전하는 사람이었다. 덕분에 정민은 그와 새로운 것들을 꽤 많이 경험했다. 그와 함께 연인으로서 경험하는 어른의 세계라던가, 처음 하는 번지점프, 서핑, 패러글라이딩, 심야의 클럽과 처음 듣는 장르의 음악과 춤, 술을 마신다는 느낌 등은 정민에게 신기하게 다가왔다.

하지만 시간이 가며 사랑하는 마음이 커질수록 채훈이 주는 쾌락만큼이나 채훈으로 인해 얻는 불안도 커졌다. 매주 정민의 마음속에는 사랑과 함께 쾌락과 불안이라는 상반된 두 감정이 엎치락뒤치락했다. 채훈과 사랑이 넘치는 시간을 보내면, 정민의 마음은 새로운 경험과 자극에 휩싸여 이 남자를 계속 만나야 한다고 외쳤다. 그러다 그가 금요일 밤 다시 연락이 닿지 않으면, 정민의 마음은 그동안 그녀가 무시했던 시그널을 모두 꺼내어 온갖 상상의 나래를 펼쳤다. 정민은 사랑할수록 불안에 입이 바싹바싹 말라 갔다. 연락을 기다리는 데 온 신경이 곤두서다 보니 주말에 결국 아무것도 하지 못한 채 평일을 맞게 되는 일이 점점 늘어났다. 가장 피해를 본 것은 주말마다 진행한 영어 스터디와 화학 과외였다. 결국, 집중이 되지 않아 제대로 과외 준비를 하지 않은 채 과외 학생을 만나거나, 영어 스터디도 발표 준비를 하지 않고 참석하는 일이 잦아졌다.

또다시 연락이 닿지 않는 어느 날 밤, 정민은 생각했다. 사랑이 원래 이렇게 괴로운 건지, 사랑하는 채훈은 왜 사랑하는 정민을 매번 애타게 하는지, 그런데도 자신은 왜 늘 기다려주는지. 그가 너무 좋았기 때문에 답은 알고 싶지 않았다. 하지만 매주 이런 일이 생긴다면 더 이상 그만 힘들어지고 싶었다. 받지도 않는 여러 번의 전화를 걸며 정민은 결심했다. 이렇게 나를 고통스럽게 하는 연애는 잘못되었다고. 채훈이 아무리 좋고 그와의 시간이 특별해도 이제 그만해야 한다고. 전화를 받지 않는 채훈에게 정민은 닭똥 같은 눈물을 뚝뚝 흘리며 처음으로 헤어지자는 뉘앙스를 담아 문자를 보냈다. 그게 바로 삼 일 전이었다.

그 후 채훈은 이틀간 연락이 없었다. 이렇게 잠수 이별을 당하는구나, 라고, 생각하며 마음을 정리하려는 찰나 어젯밤 드디어 그에게 연락이 왔다.

- 미안해. 내가 잘못했어.

헤어지자고까지 강하게 말해야 너에게 연락이 오는구나. 정민은 허탈하고 어이가 없었다. 그 와중에 정민의 마음은 뒤죽박죽이었다. 머리로는 끝내야 하는 관계인 걸 알면서도 가슴으로는 답장이 왔다는 자체에 안도감이 들었다. 사랑이 뭐라고. 한참 작성 중인 교환학생 지원서에 마우스 커서가 깜박였다.

[……The reason why I applied for the Oxford University is that……]

다음에 쓰려고 했던 내용이 기억나지 않았다. 안도감 뒤에 찾아오는 감정은 사랑에서 오는 분노였다. 대체 그동안 무엇을 하고 있었길래, 이렇게 연락이 되지 않았느냐고, 당장이라고 뛰어가 쏘아붙이고 싶은 마음이 가득했다. 지원서의 문장을 잇지 못하고 몇 번을 지우고 새로 쓰고를 반복했다. 겨우 집중력을 찾아갈 때쯤이었다.

새벽 4시. 그에게 전화가 왔다.

그래, 드디어 네가 이별의 위기를 느끼고 나를 찾는구나, 진짜 헤어질까 봐 걱정되지? 라는 생각에 정민은 묘한 승리감이 들었다. 하지만 동시에 나를 해치는 연애는 더 이상 하지 않겠다는 자신의 결심도 떠올랐다. 전화를 받으면 마음이 약해져서 헤어지자는 소리 못할 거야, 정민은 여전히 채훈과 함께하고 싶은 반쪽의 마음을 알았기에 일부러 전화를 받지 않았다. 그 마음을 이길 자신이 없었다. 오늘은 연락하지 않고 내일 꼭 얼굴 보고 헤어지자고 말해야지, 그게 예의잖아. 정민은 다시 지원서에 집중하기로 하고 키보드를 열심히 두드렸다.

새벽 5시 40분. 그에게 다시 문자가 왔다.

- 미안해.

그래, 미안하겠지. 연락을 3일이나 안 했는데. 그래도 이번엔 절대 용서하지 않고 넘어가야지, 이제 다시는 힘든 연애를 하지 않겠어, 라고, 스스로 다시 한번 결심을 다졌다. 정민은 핸드폰 스크린이 바닥을 향하게 뒤집고 지원서를 마저 마무리하는 데 집중했다. 그러고는 여태까지 깨어있던 것이었다.

장례식장 앞이었다. 술에 취했던 것도, 기절했던 것도 아닌데, 정민은 자신이 어떻게 장례식장까지 갔는지가 기억이 잘 나지 않았다. 도서관 계단의 시뻘건 벽 앞에서 눈 한번 깜빡하니, 어느 순간 도서관을 지나 걷고 있었다. 그리고 또 눈을 한번 깜빡하니, 정민의 친한 동기들이 정민이 검은 옷으로 갈아입는 것을 도와주고 있었다. 다시 눈을 깜빡하니, 거의 기다시피 자연과학관을 지나고 있었다. 동기들과 함께 검은 옷이 가득한 버스에 탄 기억이 드문드문 났다. 흐릿한 기억과 기억 속에서도 정민은 울지 않고 있었다. 여기서 울어버리면 이 모든 게 정말 진짜가 되어 버릴 것 같았다. 그래서 이를 악물고 눈물을 참았다.

인천 XX 장례식장.

살면서 처음 가보는 장례식장이었다. 죽음이라는 인생에서의 큰일을 겪기에 스물두 살의 정민의 삶은 이제까지 꽤 평탄했다. 장례식장의 간판을 지나 빈소가 있는 지하로 걷는 계단이 보였다. 한 걸음 한

걸음씩 계단을 내려갈 때마다 하나하나가 입에 담을 수도 없는 이 일을 현실로 만들고 있는 것만 같았다. 빈소에 다다른 정민의 시야에 채훈이 서서히 눈에 들어왔다. 평소 의뭉스럽게 짓던 그 웃음을 머금고 늘 입던 초록색 반소매 폴로 티를 입고 있었다.

사진을 찍던 날이 떠올랐다. 갑자기 생긴 휴강에 학교 앞 새로 생긴 카페에 놀러 갔을 때였다. 봄기운을 잔뜩 머금은 햇살에 방긋 웃는 채훈과 초록색 티가 잘 어울려서 정민이 찍어준 사진이었다. 그때는 그냥 사진이었는데 이제 영정사진이 되어버렸다.

아무리 생각해도 말이 안 되는 것 같았다. 채훈의 사진, 그 주변의 하얀 꽃도, 검은 옷 입은 사람들의 웅성거림도, 모두 거짓부렁으로 가득 찬 것 같았다. 다 같이 정민에게 거짓말을 하고 있다고 그렇게 믿고만 싶었는데, 결국 그의 사진을 보자 겨우겨우 참고 있던 눈물이 수도꼭지를 틀어둔 것처럼 주룩주룩 흐르기 시작했다. 다리가 풀렸다. 제발 아무라도 거짓말이라고 해주길 간절히 기도했는데, 거짓말이어야 한다고 생각했는데, 아무도 부정하지 않았다. 그렇게 믿고 싶은데 영정사진은 너무 잔인하게 현실을 말했다.

세상에서 가장 슬픈 사람은, 세상에서 가장 나쁜 사람은, 세상에서 가장 불쌍한 사람은 정민뿐이어야 하는데, 그렇지 않았다. 정민이 아닌 어떤 여자도 빈소에 구슬프게 울고 있었다. 여자는 정민과 비슷한 20대 초반으로 보였다. 눈물범벅으로 헝클어진 머릿결과 대충 꿰입고 온 검정 옷차림이 여자가 얼마나 급하게 정신없이 이곳에 달려왔는지를 보여줬다. 긴 생머리에 꽤 호리호리한 여자는 슬픔을 주체하지 못하고 몸이 바들바들 떨리고 있었다. 채훈의 여자 친구이거나 가족 정도는 되어야 나올 법한 반응이었다. 하지만 여자의 옷은 검은색 개량 상복이 아니었다. 대체 어떤 사람이길래 자신만큼이나 서럽게 우는 걸까, 라는 생각이 들려는 찰나, 예전에 채훈의 친구라며 통성명을 한 민규 씨가 나타났다.

“정민 씨, 아이고 여기서 이렇게 울고 있으면 어떡해요. 우선 여기 앉아 마음부터 진정시키세요.”

민규 씨는 약간 다급하게 빈소에 있던 정민과 친구들을 접객실로 안내했다. 다급해 보이는 건 정민의 잠깐 지나가는 생각인지 몰랐다. 덕분에 빈소에서 서럽게 울던 여자가 정민의 시야에서 사라졌다.

민규 씨의 재빠른 지시에 따라 정민의 앞에 육개장, 편육, 홍어 등이 차려졌다. TV에서만 보던 장례식 음식들이었다. 지독한 슬픔 외에는 아무것도 느껴지지 않는 정민에게는 음식이 아닌, 그냥 풍경에 있는 사물 중 하나일 뿐이었다. 정민을 배경으로 정민의 친구들과 민규 씨가 짧은 대화를 나누었다.

“이런 이야기하기에 뭐하지만……. 대체 어떻게 된 일이래요?”

“자살……. 이라고 하더라고요. 아파트 옥상에서 뛰어내렸데요. 새벽 다섯 시 사십사 분 경인가…….”

그가 삶을 끝내기 4분 전 보낸 문자가 떠올랐다. 그때 채훈이 보낸 ‘미안해’는 어떤 ‘미안해’였을까. ‘여자 친구의 연락을 받지 않아서 미안해’를 넘어선 ‘자신이 선택한 죽음에 대해 미안해’였을까. 생각은 곧

바로 후회로 이어졌다. 5월 4일 새벽 5시 40분에 보낸 메시지에 답장을 남겼다면 지금과는 다른 결과를 가지고 왔을까? 아니면 그전에 전화했을 때 그 전화를 받았다면 어떻게 되었을까? 아니, 애초에 3일 전에 헤어지자는 소리를 내가 하지 않았다면 지금과 같은 일은 발생하지도 않았을까? 정민은 후회에 후회를 거듭했다. 열두 시간 전까지만 해도 정민은 상황을 되돌릴 수 있는 키를 가지고 있었는지도 몰랐다. 정민의 눈에서 다시 뜨거운 눈물이 주르륵 볼을 타고 흘러내렸다. 민규씨의 목소리가 드문드문 정민의 귀에 들어왔다.

"…… 게다가 오늘이 또 채훈이 아버님 기일이거든요. 2년 전 낙상으로 돌아가셨는데 또 공교롭게 날이 겹치더라고요. 원래 조울증세가 조금 있긴 했는데 거참……."

생각해 보니 정민은 채훈의 아버지에 대해 전혀 들은 적이 없었다. 채훈은 먼저 가족의 이야기를 꺼내는 법이 없었다. 지금 와서 돌이켜보면 그와의 대화는 앞으로 무엇을 할 것인지에 대한 새로운 시도들로만 가득했다. 그는 정민 앞에서 한 번도 과거를 이야기하지 않았다. 미래를 꿈꾸는 사람이 자신의 목숨을 스스로 끊을 거로 생각해 본 적이 없었다. 아니다, 사실은 그런 낌새가 있었는데 정민의 시야에 들어오지 못한 걸지도 몰랐다. 정민은 지난번 시청역 지하철을 기다리며 나눈 채훈과의 대화가 문득 떠올랐다.

그날도 데이트를 마치고 밤 9시가 채 되지 않아 집에 가려는 채훈에게 서운함이 있던 날이었다. 채훈은 그날 말도 안 되는 소리를 정민에게 했다.

“여기서 지하철이 올 때 뛰어내리면 아프지 않게 죽을 수 있을까?”

이런 헛소리에 정민은 심드렁하게 마찬가지로 헛소리로 답했다.

“무슨 소리야, 지하철에서 뛰어내리면 민폐야, 민폐. 지하철 기관사랑 거기에 있던 시민들은 무슨 죄야, 오빠. 죽을 거면 혼자 죽어야지.”

그때 그 질문을 채훈의 시그널로 알아차려야 했던 것일까. 갑자기 왜 그런 생각을 했는지 더 깊이 묻지 못했을까, 서운함보다 채훈의 힘든 마음을 먼저 알아주었어야 하는 걸까……. 과거의 기억을 떠올리면 떠올릴수록 정민의 시야에 그동안 놓치고 있었을지 모르는 죽음의 신호들이 들어오는 것만 같았다. 사실 그는 조용히 일상에서 죽음을 말해왔는지 모르겠다. 다만 이를 발견하지 못한 것이 정민일 뿐.

다시 빨간 페인트로 가득 칠해진 도서관 벽이 떠올랐다. 처음 부고를 들었던 그 순간으로 돌아와 정민은 새빨간 피로 가득 찬 후회의 수렁에 갇혀버린 기분이었다. 눈물이 속절없이 흘러내렸다. 정민의 친구는 그런 정민을 잽싸게 현실로 데려왔다. 친구의 목소리가 정민이 갇혀있는 후회의 벽에 닿았다.

“야, 이정민, 지금 당연히 정신없겠지만, 그래도 정신 최대한 똑바로 차리고 들어. 누가 뭐라 해도 다 너 잘못 아니야. 이건 별개의 사건이야. 너 잘못 아니라고. 알았어?”

친구는 정민의 눈을 똑바로 바라보았다. 그리고 어깨를 강하게 잡으며 분명한 목소리로 말했다. 정민은 그 친구가 눈물 나게 고마웠다.

하지만 지금은 친구가 잘못 알고 있는 것 같았다.

대충 식사를 마치고 자리에서 일어났다. 친구들을 보낸 후 정민은 발인 전까지 자리를 지켜야겠다고 생각했다. 채훈의 여자 친구로 그건 너무 당연한 일이었다. 하지만 그런 정민을 한사코 말린 건 민규 씨였다.

"채훈이는 우리가 잘 보낼게요. 젊은 여자가 벌써부터 장례식장 있으면 안 좋다 하잖아요. 물론 정민 씨 마음이 좋지 않은 건 알지만, 그래도 건강 해쳐요. 걱정하지 마시고 내일 오전에 발인 같이해요. 얼른 가세요. 차 놓치겠어요."

그의 성화에 못 이겨 정민은 집에 들렀다 왔다. 당연하게도 잠은 오지 않았다.

다음날, 날씨는 원망스러울 정도로 정말 좋았다. 5월의 파란 하늘의 하얀 뭉게구름은 곧 다가올 여름도 날씨가 끝내줄 거라고 말해주는 것만 같았다. 하지만 여름 날씨를 함께 즐길 채훈은 더 이상 정민 곁에 없었다. 발인 장소에서 만난 채훈의 할머니는 정민에게 마지막으로 채훈에게 메시지 받은 사람이 정민이냐 물었다. 마지막에 '사랑해'라는 메시지 외에는 또 남긴 내용이 없는지 물었다. '할머니, 제가 받은 메시지는 '미안해'였어요. '사랑해'라는 메시지를 받기에는 우린 이미 헤어져 가는 중이었어요. 할머니.' 같은 이야기를 차마 정민은 할 수 없었다.

도착한 발인 장소는 분위기가 더 무겁게 가라앉아 있었다. 발인 당일이기도 하고, 채훈과 정말 가까운 가족과 친지만 있어서인 듯했다. 이번에도 이상하게 가족도, 친척도 아닌 또 다른 여자를 발견했다. 가족들과 약간 떨어진 곳에는 또 다른 여자가 친구무리에 둘러싸여 정민처럼 서글프게 울고 있었다. 지난번 본 긴 머리의 호리호리한 여자가 아닌 중단발의 살짝 통통한 여자였다. 그녀는 누가 봐도 채훈과 가까운 사이인 것을 금방 알 수 있을 정도로 가장 슬픈 사람 중 하나였다. 여자의 친구무리는 그녀를 달래면서도 이따금 정민을 노려보았다. 정민은 강한 적의를 느껴서 소름이 돋았다. 아마 내가 채훈에게 헤어지자는 메시지를 보낸 것을 알고 있는 것 아닐까, 그래서 나를 원망하는 건가 싶었다. 정민은 크게 울지도 못하고 조용히 흐느꼈다.

180이 넘는 꽤 큰 체구를 가졌던 채훈은 불길과 함께 한 줌의 재로 변해갔다. 그렇게 사람이 어떻게 그렇게 조그맣게만 남겨질 수 있단 말인가……. 그동안 할머니, 할아버지의 죽음조차 아직 겪지 않은 정민이었다. 정민에겐 살면서 머리털 나고 처음으로 겪는, 사랑하는 누군가의 죽음이었다. 가까운 이들의 오열이 화장장에 메아리쳤다. 남편에 이어 아들을 잃은 어머니의 마음을 감히 짐작할 수가 없어서, 사랑하는 남자 친구가 세상에 존재하지 않는다는 것이 말이 안 돼서, 정민의 시야는 다시 눈물로 자꾸만 흐려졌다.

장례식이 끝났다. 세상은 채훈이라는 사람이 존재했다는 사실을 까맣게 잊어버린 것 같았다. 그의 존재 자체가 지워진 것만 같았다. 수업을 갈 때마다 사정을 아는 동기들은 불안하게 정민을 바라보았지만, 그 누구도 그 화제에 대해 쉬이 이야기하지 않았다. 지금 생각해 보면 못한 것일 것이다. 하지만 정민의 눈엔 모두 채훈을 대해서만 까맣게 잊어버린 것 같았다. 채훈이 없는 세상에서도 해는 뜨고 구름은 움직이고 바람은 불었다. 학교는 여전히 붐볐고 교수님은 수업을 이어나갔다. 과제도 시험도 채훈의 죽음으로 바뀐 일정은 아무것도 없었다. 그 자리에 채훈만 '삭제'되었을 뿐이었다.

정민은 애써 괜찮은 척 수업을 듣고 과제를 하고 시험을 봤다. 하지만 괜찮은 척과 괜찮은 것은 달랐다. 일상에 의외의 많은 것들은 방아쇠가 되어 정민에게 날아왔다. 기숙사 방의 신발장에서 발견한 검은색 나이키 신발도 그러했다. 사실 그 신발은 채훈이 사준 것도 아니었다. 그저 여러 데이트에서 한 번쯤 신었던 신발 중 하나였을 뿐이었다. 그 중 첫 데이트에서 정민은 그 신발을 신었었다. 그 신발을 신고 정민은 채훈과 함께 처음으로 놀이공원 데이트를 했다. 회전목마 앞에서 그들은 첫 키스를 했다. 그의 키가 정민에 비해 제법 큰 탓에 정민은 그 신발을 신고 발뒤꿈치를 들었다. 그날은 제법 로맨틱했다. 별 특색도 없는 검정 나이키 신발을 보는 순간 정민에게 그 기억이 생생하게 떠올랐다. 그리고 깨달았다. 아, 오빠는 더 이상 없구나, 영원히 없는 거구나. 순간, 참을 수가 없을 것 같은 슬픔이 정민의 가슴 깊숙이에서 끌려 나왔다. 더는 그가 없다는 사실이 실감이 나서 정민은 온몸을 덜덜 떨며 오열했다.

한 번은 수업을 같은 시간에 듣는 친구가 그 날따라 연락을 따로 하지 않고 늦게 오는 날이 있었다. 평소 같았다면 무슨 일이 있어 알아서 늦게 오겠거니 싶었겠지만, 정민은 진심으로 친구가 죽었을까 봐 심장이 철렁 내려앉았다. 어디 다친 게 아닐까, 교통사고를 당해서 오지 못하는 게 아닐까, 이렇게 또 누군가를 잃는 거 아닐까. 정민의 생각은 무섭게 최악의 결말로 전개되었다. 몸이 덜덜 떨리고 숨이 거칠게 벌렁벌렁 쉬어졌다. 손은 벌써 차디차게 식었고 눈에서 갑자기 뜨거운 눈물이 흘렀다. 혼자 눈을 부릅뜨고 소리도 못 낸 채 꺼이꺼이 울고 있으니, 친구가 수업 시작 이후 5분쯤 지나 들어와서 정민의 모습에 기겁했다. 정민은 그저 친구가 죽지 않고 돌아와서 다행이라 생각했다.

새벽 5시 44분. 이 시간을 어떻게 기가 막히게도 몸은 기억하고 있었다. 밤마다 일어나 시계를 보면 항상 시계는 다섯 시 사십사 분 언저리를 가리키고 있었다. 어떻게든 다시 잠들기 위해 이불을 머리 위까지 끌어당기고 눈을 꼭 감았다. 그 시간만 되면 후회만 머리를 맴돌았다. 그때 그 전화를 받았어야 했는데, 그때 문자에 답장해야 했는데, 그때 헤어지자 할 때 얼굴을 봤어야 했는데. 끝없는 '했는데' 들이 생겨나 잠 못 드는 밤, 허공을 맴돌았다. 그러다 아침이 되는 하루의 반복이었다.

정민의 세상은 완전히 무너졌다. 정민은 더는 꿈꿀 수 없었다. 그렇게 열심히 다니던 동아리 활동도, 꿈꾸던 이공계 장학금 준비도, 복수전공도 다 부질없어 보였다. 그중에서도 특히 옥스퍼드 대학교 교환학생 지원은 원망스러운 것 중 하나였다. 그놈의 지원서를 쓴다고 정민은 채훈이 죽음을 결심하고 죽어갈 시간에 깨어있었다는 것을 깨닫자, 활동 자체가 혐오스러워졌다. 정민의 머릿속에 한 줌으로 남은 채훈이 강렬하게 박혔다. 그저 죽으면 이게 다 무슨 소용인가, 싶었다. '뛰어봤자 벼룩.'이라는 말이 꼭 '뛰어봤자 사람은 언젠가 죽는다.'라는 의미를 내포한 게 아닌가 싶었다.

어느덧 49재가 다가왔다. 잔인하게 맑았던 5월의 하늘은 49일의 기간 동안 매미가 우는 여름의 하늘로 바뀌어있었다. 하지만 정민의 시계는 5월 4일에서 멈춰 하루도 앞으로 나아가지 않았다. 먹는 것도, 걷는 것도, 숨 쉬는 것도 버거운 정민이였다. 수능까지 함께 하기로 약속했던 고3 학생의 화학 과외도, 지난번 지원했던 소프트웨어 공모전의 1차 서류 통과 소식도, 매주 나가던 영어 스터디도, 모든 것이 함께 무기한 멈췄다. 보다 못한 친구는 정민에게 산 사람은 살아야 하지 않겠냐며 제안했다. 채훈에게 마지막 인사를 할 겸 49재를 의미 있게 보내면 어떻겠냐고, 처음이자 마지막으로 그를 찾아가자 했다. 정민은 한편으로 다시 그날의 그 기억이 떠오를까 두려웠다. 그래도 용기를 내서 채훈이 있는 인천 추모 공원에 가기로 했다.

기숙사에서 인천까지는 꽤 거리가 있어 주말에 서울의 서쪽에 있는 부모님 댁에 와서 하룻밤을 자고 출발하기로 했다. 장례 이후 오랜만에 집으로 온 정민을 엄마는 여전히 걱정했다. 하지만 동시에 그 이야기를 꺼내고 싶어 하지 않았다. 정민의 엄마는 정민이 스물두 살이라는 나이에 그런 일을 겪었다는 자체가 지워버리고 싶을 정도로 끔찍하게 느껴졌다. 그래서 정민이 슬퍼하면 더 화를 냈다. 그래서 정민도 어느 순간부터 엄마와 그 이야기를 하기를 멈췄다. 어차피 정민은 이미 너무 슬펐고 말로 표현할 수 없게 고통스러웠고 그걸 나누려는 순간 엄마의 마음에도 대못이 박히는 것 같아 애써 괜찮은 척했다. 그래서 다음날도 알아서 검정 옷을 챙겨입고 아무 일도 없는 것처럼 그냥 집 밖을 나왔다.

인천으로 가는 1호선을 타고 창밖을 바라보았다. 채훈이 떠났던 그날처럼 날씨는 지독하게 좋았다. 5월 4일 인천에서 서울로 가는 1호선 지하철을 탔던 과거의 정민을 현재의 정민이 바라봤다. 울면서 탄 지하철을 울면서 내린 기억이 떠올랐다. 정민의 눈시울이 다시 붉어졌다. 눈물이 가득 차는 건 금방이었다. 지하철에서 내려서 천천히 걷기 시작했다. 채훈의 친구 민규 씨를 통해 채훈이 있는 위치를 적어 오긴 했지만, 가는 길이 추모 공원에 들어선 다음부터 점점 더 멀게만 느껴졌다. 그 앞에 서면 무슨 느낌일까, 정민은 그가 세상에 없다는 사실을 스스로 확인하려는 행위가 스스로 잔인하다고 느껴졌다.

채훈의 유골이 뿌려진 곳에 도착하자 이상한 풍경이 펼쳐졌다. 또다시 혼자가 아니었다. 채훈의 친구 민규 씨와 지난번 장례식장에서 보았던 여자들이었다. 첫날 빈소에서 구슬프게 울고 있던 20대 초반의 긴 생머리의 호리호리한 여자와 마지막 날 발인에서 보았던 중단발의 키가 작고 살짝 통통한 여자였다. 둘은 서로 모르는 사이인 듯 거리를 두고 떨어져 있었다. 호리호리한 여자는 홀로 묘비를 정면으로 노려보며 고개를 살짝 치켜든 채 눈물을 참고 있었고, 중단발의 여자는 지난번처럼 친구들에게 둘러싸여 눈물범벅으로 구석에서 서 있었다. 민규 씨는 그들의 가운데 어딘가에 어정쩡하게 서있었다. 정민이 점점 묘비로 다가오자, 민규 씨의 표정이 어쩔 줄 모르겠는 표정으로 변해갔다. 그때 갑자기 정민의 머릿속에 채훈의 지갑에 있던 증명사진 여자의 얼굴이 떠올랐다. 맞다, 사촌 동생이라 했었지……. 중단발의 여자였다.

"혹시 채훈 오빠 사촌 동생이세요?"

"아니요, 채훈이 여자 친구인데요?"

키 작은 통통한 여자에게서 의외의 대답이 돌아왔다. 그 대답에, 옆에 있던 호리호리한 여자가 표정이 아주 이상해지더니 한 마디 던졌다.

"무슨 소리세요, 제가 여자 친구인데요?"

갑자기 세상이 빙빙 도는 것 같다. 속이 메슥메슥했다. 옆에 서 있던 민규 씨는 머리를 부여잡고 여전히 어쩔 줄 모르겠다는 표정으로 정민과 두 여자를 보고 있었다.

채훈의 여자 친구라 주장하는 사람들과 민규 씨와 나눈 대화는 가히 충격적이었다.

키 작은 여자는 채훈과 만난 지 거의 1,000일이 되어간다고 했다.

채훈이 유흥에 빠져 주말마다 밤새 클럽을 가고 헌팅을 한다는 사실을 알게 된 후, 만나고 헤어지고를 대여섯 번 반복했다. 하지만 그녀는 2년 전의 아버지의 갑작스러운 죽음이나 복잡한 가정사 등, 채훈의 개인적인 이야기를 깊이 알고 있었고 그래서 채훈에게 동정심을 가지고 완전히 그를 끊어내진 못했다.

"헤어질 때마다 이유가 여자가 있어서였어요. 그리고 여자를 정리할 때마다 다시 찾아와서 만나달라. 그랬어요. 그런데 정리한 게 아니었네요. 우리가 이렇게 만난 걸 보면."

키 작은 여자는 허탈하다는 듯이 말했다.

호리호리한 여자는 채훈을 만난 지 100일을 갓 넘은 사이였다 했다. 그녀는 보통 금요일이나 토요일 밤 열 시쯤이면 홍대나 강남에서 채훈과 데이트를 했다. 보통 그 시간대는 정민이 채훈과 늘 연락이 닿지 않는 시간이었다. 처음에 그녀는 채훈의 외모와 매너에 혹해 엔조이로 관계를 시작했다. 그러다 어느 순간부터 채훈에게 여자 친구가 있다는 것을 알게 되었다. 그날, 그녀는 채훈의 여동생인 척 채훈의 여자 친구에게 채훈의 계정으로 말을 건 것이었다. 그게 결국 정민이었다. 그 이후 그녀는 채훈에게 지금 여친을 정리하고 자신을 만나던지 자신과 헤어지자고 엄포를 놓았다. 이후 채훈은 키 작은 여자에게 한 것과 마찬가지로 여친을 정리했다며 자신과 사귀기 시작했다 했다.

옆에서 듣고 있던 민규 씨의 표정이 굉장히 떨떠름하게 바뀌었다. 더는 숨길 수 없다는 듯 민규 씨는 한숨을 쉬고 입을 열었다.

"뭐……. 이미 채훈이는 갔고, 우리 인생도 긴데 더는 숨길 수도 없고 숨길 이유도 없겠죠. 사실 채훈이요. 여자 친구가 되게 많았어요. 지금 여기 있는 1,000일, 500일, 100일 정도 사귄 세 분만 있는 게 아니었어요. 제가 아는 사람만 해도 벌써 여섯 명이에요. 네 번째가 60일인가, 다섯 번째가 2주인가 됐었고, 여섯 번째가……. 채훈이 가기에 하루 전날인가 사귀기 시작했을 거예요. 금요일 토요일이면 종종 채훈이랑 클럽에 갔었거든요. 그게 잘한 일이라곤 생각하지 않아요. 그래서 말씀을 못 드리고 있었어요. 죄송해요."

그동안 정민에게 채훈은 자신처럼 바쁜 사람이었다. 자기 삶에 너무나 충실해서 연애에 충분히 시간을 쏟을 수 없는 사람. 가끔 연락되지 않았지만, 정민 역시 연락이 되지 않았으니 자기 삶 사느라 바빠서라 생각했다.

'……. 이제까지 자기 삶 사느라 바쁜 사람인 줄 알았는데, 여자를 만나느라 바빴던 거야?'

정민은 헛웃음이 나왔다. 그제야 정민의 시야각엔 미처 보이지 않던 것들이 눈에 들어오기 시작했다. 남자 친구가 매주 금요일 밤마다 연락이 끊긴다는 것. 정민이 늘 채훈의 전화를 기다리며 주말 밤마다 노심초사한다는 것, 지갑에 가족이나 여자 친구 사진도 아닌 사촌 동생의 사진을 넣고 다닌다는 것. 이미 문제가 되는 시그널은 너무 많았다. 합리화하고자 각종 연애 커뮤니티 게시판을 뒤져서 비슷한 케이스를 찾아봐도 모든 답변은 대부분 비관적이었다. 항상 '그는 좋은 사람이 아니에요.' 또는 '지금 당장 헤어지세요.'라는 답변으로 끝났다. 지금 와서 생각해 보면 너무 명확했다.

이제 와서 보니 그동안 몰랐던 게 아니라 너무 사랑해서 마치 스스로 모른다고 믿고 싶던 게 아닐까 싶었다. 이 불안했던 관계가 그의 죽음으로 말미암아 진실이 밝혀지다니. 정민은 그동안의 연애가, 그와 함께 보낸 시간이 허무했다. 아니다, 정민이 사랑한 만큼 그 역시도 정민을 사랑했을 거다. 갑자기 정민은 함께 보낸 시간이 헛되지 않았고 서로가 사랑했다는 증거를 어떻게든 찾아내고 싶었다. 그래야 자신의 500여 일간의 연애가 아무것도 아닌 게 되지 않을 것 같았다.

"아니, 잠시만요. 그럼, 마지막 메시지는요? 채훈 오빠 할머니가 마지막으로 저에게 '사랑해'라는 메시지를 받았는지 물어보던데, 그건 누가 받은 거예요?"

여기까지 와서 그게 뭐가 중요하냐는 표정으로 두 여자는 정민을 바라보았다. 그녀들 중 아무도 '사랑해'라는 메시지를 받은 사람은 없었다.

"정민 씨, 나는요. 우리가 제일 불쌍해요. 그동안 남자 친구라 굳게 믿고 사랑한다고 미안하다고 지금까지 눈물 흘려온 거잖아요. 그리고 또 죽어서 어떡하냐고 불쌍하다고 여기까지 온 거잖아요. 그 새끼가 누구를 사랑했는지, 왜 죽었는지, 그게 더 이상 우리에게 중요하기는 해요? 이 상황 자체가 뭐가 뭔지 정말 모르겠어요."

결국 정민도 '미안해'라는 메시지를 받은, 채훈의 여섯 명의 여자 친구 중 하나에 불과했다. 이게 무슨 소용이람. 연락에 별 의미를 두지 않고 채훈만 바라보며 모든 것을 다 믿어준 정민, 스스로가 얼마나 쉬운 타깃이었을지 상상이 갔다. 그래서 너무 슬펐다.

'그렇게 손쉽게 심장을 여섯 개로 나눌 수 있는 사람이었으면, 그럴 거면 살지 왜 죽었니'라는 외침이 정민의 머릿속에 뱅뱅 돌기 시작했다. 살아만 있다면 나쁜 놈이라고 혼내주고 복수하고, 미워하고 싶다. 하지만 더는 원망할 수 없게 그는 세상에 없다. 더는 어떻게 할 수 없이 죽어버렸다. 마지막에 보낸 화난 메시지로 마음 깊숙이 가지고 있던 깊은 후회는 더는 필요가 없어졌다. 그런데 이상하게 필요 없어지면 더 이상 후회할 필요가 없는데, 그냥 이유도 없이 그 감정은 마음속에 남아 씁쓸함을 가져왔다. 슬픔과 사랑으로 왔던 추모는 그렇게 당황스러움에서 배신감과 분노로, 허탈함으로 변해갔다.

채훈의 여자 친구들과 민규 씨의 고백은 충격이었지만, 정민의 일상 복귀에 결정적인 도움이 되었다. 다음날부터 정민은 기숙사 식당에서 밥을 먹고 수업을 들었다. 과제를 하고 도서관에 갔다. 아직 기계적이긴 하지만 정민의 노력에 동기들은 그렇게 호들갑을 떨지 않고 아무렇지 않은 척 정민을 반겨주었다. 수업을 마치고 도서관에 막 들어왔을 때였다.

- 띠링.

갑작스러운 메시지 소리에 정민은 당황했다. 괜히 또 안 좋은 소식이 아닐까, 심장이 철렁했다.

[축하합니다]

2012년 1학기 교환학생 1차 서류 합격

- 2차 면접 : 자연과학 캠퍼스 제1공학관 000호

- 일시 : X월 X일 13시

이름, 학과명과 함께 2차 면접 참여 여부를 회신해 주세요.

부고 이후로 처음 받는 문자 메시지였다. 그래서 부고 메시지 위에 합격 메시지가 있는 모양새가 꽤 이상했다.

합격 문자는 그날 밤 열심히 준비한 지원서의 결과였다. 그토록 고대하던 교환학생이었다. 영미권 대학으로 준비했던 만큼 서류부터 경쟁도 치열했었다. 단 3명의 교환학생을 위해 1차에서만 100여 명이 지원했는데, 2차부터는 2대1로 경쟁률도 급격히 낮아져 꽤 해볼 만한 게임이었다.

'맞다, 나 교환학생 가는 게 꿈이었지.'

그제야 정민의 시야에 그동안 놓치고 있던 정민의 꿈이 들어왔다. 하지만 이런 생각도 들었다. 채훈이 나쁜 사람이고 아니고를 떠나 사람이 죽은 건 죽은 거였다. 이 모든 일을 겪고도 아무렇지 않게 살아가도 될까? 정민은 500여 일간 그를 사랑했던 과거의 자신을 떠올려보았다. 그때의 정민이 정말 '잘' 살아가고 있던 게 맞을까? 언제 연락이 올지 노심초사 채훈을 기다리며 불안하게 보낸 밤들, 그로 인해 거의 그만두다시피 한 주말 영어 스터디와, 결국 그만둬버린 화학 과외가 떠올랐다. 정민은 기다리는 사랑에 지쳐가고 있었다. 어차피 놓을 사랑이었다.

정민은 깨달았다. 더 이상 정민이 목메야 할 사람이 없다. 절대 정민을 불안하게 할 사람도 없다. 그리고 사실 정민은 채훈에게 그럴 필요조차 없었다. 정민은 이제는 금요일이 무섭지 않아도 된다. 정민은 더는 불안을 이기기 위해 꿈을 던져버릴 필요 없다.

그동안 멈춰있던 정민의 시곗바늘이 조금, 움직이기 시작했다.

'교환학생 2차 면접에서 자기소개를 어떻게 해야 하지? 왜 다른 대학도 아니고 옥스퍼드인지에 대해서 내 이야기를 조금 더 섞어서 준비해야겠다. 인터넷에 괜찮은 자기소개 스크립트가 있겠지? 5분 자기소개 정도는 외워가야지. 3대3 영어 토론이 있다는데 인문계 애들하고 토론하려면 준비 좀 해야겠다. 요새 출석하진 못해 미안하지만 그래도 영어 스터디에 다시 한번 연락해 봐야지.'

그에게 푹 빠져있는 동안 사각지대에 가려졌던 정민과 정민의 꿈이 조금씩 빛을 받기 시작한다. 생각을 이어 손가락이 움직인다. 정민은 아까 받은 메시지에 회신한다.

[면접 참여합니다 / 컴퓨터공학과 이정민]

꿈에서 만나

전예원

전예원

일기를 쓰지만 매일 쓰지는 못한다. 일기를 넘어선 글을 쓰고 싶어 책 쓰기에 도전했다. 나이의 앞자리가 바뀌기 전에 그동안 써온 글 조각들을 모아 산문집을 내고 싶어 한다. 새벽에 듣는 라디오를 좋아하고, 주로 잔잔한 음악을 많이 듣는다. 언젠가는 가사도 써보는 것이 꿈이다. 여러 사람을 만나는 것을 즐기지만, 한 명 한 명 더 깊이 알아가는 것을 선호한다. 지나간 인연을 그리워하지만 붙잡지는 않는다. 해가 갈수록 결이 비슷한 사람과 깊어지는 관계에 행복함을 느낀다.

주원아 안녕? 나 진아야. 네가 곧 멀리 떠나게 되어서 이렇게 편지를 써.
그동안 너는 나한테 자주 편지를 써주곤 했는데 나는 그렇지 못했더라고.
어딜 가도 잘 해내는 너라 그곳에서도 분명 잘 해낼 거라 믿어.
힘들면 언제든지 연락하고, 나 잊지 마.

친구인 진아를 잃게 되었던 그날, 진아가 미워서 찢어버리고 싶었던 편지다. 책상을 닦다가 편지 상자가 엎어지지 않았더라면 이 편지도 보지 않았을 텐데. 쏟아진 편지를 주워 담다 몇 개만 읽어보려고 남겨둔 것 중 진아의 편지가 있을 줄이야. 얼마 전 후배의 전화를 받고 나서는 요즘 자꾸만 꿈에 진아가 나온다. 그렇게 떠나서 미안하다며, 울며불며 화해하는 모습으로 자꾸만 꿈에 찾아온다. 이게 내가 바라는 결말일까? 꿈에는 무의식중에 생각하는 것이 나온다던데, 연주회에 갈지 말지를 고민하고 있어서 자꾸 진아가 나오나 보다. 진아가 있던 동아리는 꽤 유서가 깊어서 졸업하고도 매년 모여 연주회를 한다. 그 동아리에는 동네 후배도 있었는데, 연주회 때마다 늘 나를 초대했다.

이번에도 역시나였다. 이번엔 정말 좋은 자리를 빼두었으니 언니가 안 오면 자기 체면이 말이 아니라며 꼭 오라고 떼를 썼다. 동아리에 애정이 깊었던 진아니까 분명 연주회에도 나올 것 같았다. 내가 진아를 다시 만날 수 있을까? 진아 앞에 서면 예전으로 돌아갈 수 있을까? 무수한 걱정과 기대가 머리에 가득 찼다. 진아의 향기가 묻어 있는 것만 같은 편지를 곱게 접어 넣고는 다시 라디오에 집중하며 책상을 닦았다.

"저희 숲의 음악에 새로운 코너가 생겼는데요, 바로 〈숲속의 기억〉입니다. 예전에 있던 TV 프로그램 중에 〈TV는 사랑을 싣고〉라는 프로그램을 아시나요? 추억 속에 있는 사람을 찾아주는 프로그램이었죠. 저희 숲의 음악에서도 라디오를 통해 추억을 이어드리고 싶어서 이 코너를 준비하게 되었어요. 여러 가지 사연으로 멀어지게 된 추억 속 누군가가 있으시면 편히 이야기 해주세요. 저는 늘 여기 숲의 음악에서 기다리고 있을게요."

가끔 하고 싶은 이야기를 전화번호 뒤에 숨어 DJ의 목소리로 전국으로 방송했던 바로 그 라디오였다. 사연을 하도 보내서 내 삶을 보고 있는 건가 싶은 정도로 기막힌 타이밍이었다. 진아를 보고 싶은 마음이 표면장력을 이기지 못한 물처럼 책상으로 쏟아져 내렸다. 책상을 자꾸만 닦아도 계속해서 닦아야 했다.

진아를 만난 2015년 겨울은 아직도 생생하게 그려진다. 막 스무 살이 된 나는 누구보다 대학교에 올 날을 기다렸다. 그래서 입학 전에 신입생을 위한 강의를 들었고, 그 겨울 진아를 만났다. 강의가 시작되던 날, 아무도 없는 강의실에 가장 일찍 도착해서 앉아있던 사람이 바로 진아였다. 진아는 오렌지 주스 팩 하나를 두곤 혼자 「데미안」을 읽고 있었다. 가장 먼저 내 시선을 끈 것은 진아의 책이었다. 많이도 추천받았지만, 도무지 읽으려 하지 않았던 저 책을 읽고 있다니. 아무렇지 않게 혼자 책을 읽고 있는 진아의 모습이 좋아 보였다. 혼자 책을 읽고 싶어도 '쟤 친구 없나 봐' 하는 무례한 시선들이 싫어 차마 그러지 못했던 나와 달라서였을까. 저 책을 핑계로 말을 걸어보고 싶었다. 성큼 진아에게 다가가 책의 내용을 물었다. 약간은 어색한 미소를 지으며 내 물음에 답하는 진아의 목소리는 차분하고 나긋해서 참 듣기 좋았다. 여전히 그 책을 읽을 생각은 없었지만, 진아와 말을 트게 해준 게 너무 고마워서 뽀뽀라도 해주고 싶었다. 집이 멀었던 나와, 집이 가까웠던 진아는 늘 강의에 가장 먼저 왔다. 어느 날은 진아가, 어느 날은 내가 먼저 강의실 문을 열었다. 누군가 조금이라도 늦는 날엔 서로에게 걱정 어린 문자를 하며 그렇게 우린 친구가 되었다.

우리는 과가 달라 새내기 이후로 같은 강의를 듣는 일은 드물었다. 교양이라도 시간을 맞추고 싶어 애를 써봐도 수강 신청이라는 전쟁터에서 승리하기는 참 어려운 일이었다. 우리는 강의를 같이 듣진 못해도 인생의 특별한 순간들에 늘 서로의 곁에 있었다. 아이돌을 좋아하던 진아와 달리, 나는 무언가 몰입할 취미가 없어서 늘 심심해했다. 우연히 갔던 페스티벌에서 한 가수에게 반해 콘서트에 가야겠다고 할 때, 진아는 흔쾌히 같이 가주겠다고 했다. 콘서트를 혼자 가도 되는지, 가면 뭐부터 해야 하는지 온갖 질문을 쏟아내는 내 모습에서 걱정이 보였나 보다. 진아는 크리스마스 날 혼자 콘서트를 가는 나를 위해 예쁘게 차려입고는 먼저 포토존 줄에 서있었다. "여기 서봐!" "응원봉도 들고, 슬로건도 들어봐!" 진아는 여기저기에 날 세워놓곤 무릎을 꿇어가며 사진을 찍어주었다. 책상에 놓여있는 어딘가 어색한 미소를 지은 콘서트장에서의 사진이 바로 그때 사진이다. 처음 콘서트에 온 내가 민망하지 않게 해주던 진아의 모습이 아직도 콘서트에 갈 때면 생각난다. 이 기억뿐일까? 처음 자취를 시작하곤 진아를 초대해 없는 솜씨로 옥수수전을 만들어 주었던 기억. 진아가 교생실습에 나간 첫날 아이들이 너무나 사랑스러웠다며 시시콜콜 이야기를 풀어내던 학교 앞 카페. 첫 인턴을 하던 중 상사의 비상식적인 지적을 받고 속상해하던 날 찾아왔던 그날 저녁의 포차. 어느 하나 잊을 수 없는 순간들 속에 진아가 있었다. 식어가던 떡볶이 앞에서 떠난다는 그 말을 전했던 그 시린 겨울까지.

나는 휴학을 안 한 덕에 동기들보다 더 빨리 졸업반을 앞두고 있었다. 휴학하고 여행을 갈지, 인턴을 할지 고민하던 차에 인턴십까지 진행하는 교환학생 공고를 보게 되었다. 여태껏 혼자 여행 한 번 해본 적 없는 내가 과연 할 수 있을까. 두려운 마음이 덜컥 들었지만 지금 하지 않으면 영영 이 순간을 후회할 것 같았다. 오랜 고민 끝에 지원서를 냈고, 인터뷰를 거쳐 끝내 합격 통보를 받았다. 늘 잘하고 싶은 욕심이 있어서 이걸 준비하면서 아무한테도 알리지 않았다. 나에게 가장 기쁜 일을 누구에게 먼저 알려야 할지 아무리 생각해도 진아가 답이었다. 눈치도 주지 않고 큰일을 준비한 나에게 섭섭해하지는 않을까? 어떻게 말해야 하지?

우리가 2차로 즐겨 가던 맥줏집에서 계속 진아의 표정을 보았다. 진아는 기말고사가 끝나고 방학 때 무얼 하며 놀까 하며 내 쪽으로 몸을 쭉 빼고 쉴 새 없이 말을 이었다. 신이 난 진아에게 이 소식을 언제, 어떻게 전해야 할지 쉴 새 없이 눈을 굴렸다.

"진아야, 나 사실 유학 가. 이번 겨울에."

기본 안주로 나온 뻥튀기를 집어 먹던 진아의 젓가락과 입이 라볶이를 서빙 해주는 아르바이트생의 등장으로 잠시 멈춘 그 타이밍에 준비한 말을 꺼내 놓았다. 진아는 잠시 멈칫하더니 언제 그걸 다 준비했냐며 기특하다는 듯 내 어깨를 툭툭 쳐주었다. 진아의 무심한 축하에 내심 섭섭한 기분이 들었다. 나였다면 어떻게 된 거냐며 질문을 쏟아냈을 것 같은데. 더 묻지도 않고, 왜 말 안 했냐고 칭얼대지도 않는 진아가 조금은 이해되지 않았다. 우리의 대화는 바로 다음 장으로 넘어갔다. 그래도 많이 속상해하지 않아서 다행이라는 생각에 나도 금세 기분이 좋아졌다. 맘에 안 드는 동아리 사람 이야기, 좋아하는 가수가 라디오에서 사연을 읽어줬다는 이야기. 우리의 수다에 라볶이는 열을 빼앗긴 지 오래였다. 떠난다는 이야기를 전해야 한다는 생각에 무거웠던 마음을 라볶이의 열에 태워 보내곤, 가벼운 마음으로 집으로 향하는 버스에 올랐다. 멀리 가야 하니 안쪽 창가 자리에 몸을 앉히고는 핸드폰을 톡톡 두들겨 조심히 가라는 메시지의 전송 버튼을 누르려는데 전화가 울렸다. 방금 헤어졌는데 웬 전화지? 이 정도면 전화번호부에서 내 연락처를 잘못 눌렀다는 확신이 들었다. 놀리려는 말을 준비하고 전화를 받자마자 웃음을 터트렸다.

"주원아, 안 가면 안 돼?"

김 서린 버스 창에 기대있던 내 머리가 똑바로 정면을 봤다.

"응? 진아야, 무슨 얘기야?"

"나 너 안 가면 좋겠어. 안 가면 안 돼? 갈 거면 나도 트렁크에 데려가."

늘 해맑던 진아의 목소리가 살짝 떨렸다. 그저 축하인 줄로만 알았던 진아의 축하한다는 말이 마지못해 한 말인 줄 그제야 알았다. 항상 짓던 미소라 생각했던 입술을 꾹 닫은 미소가 그 뒤로 눈물을 삼켰다는 걸, 진아의 전화를 받고서야 알았다. 나는 아직도 진아를 잘 몰랐구나. 진아의 떨리는 목소리를 들으니 나 역시도 진아와 떨어져서 지낼 날들이 걱정되기 시작했다. 이렇게나 나를 사랑해 주는 친구가 있다는 건 처음 느꼈다. 상처만 가득한 줄 알았던 내 마음이 진아의 말 한마디로 연고를 바른 듯했다. 마음이 저릿하고, 뭉클해서 눈물이 날 정도로 고마웠다. 그날 진아와 나는 절절한 드라마의 주인공처럼 이별의 약속을 했다. 매일 붙어있지 못해도 마음은 늘 함께 하자고, 영원히.

먼 타국에 혼자 있는 것은 정말 외롭고도 쓸쓸한 지극히 혼자만의 시간이었다. 한국에 있을 때 즐겨 듣던 새벽 라디오는 그곳에서는 정오의 라디오였다. 평소 일찍 자던 내가 새벽까지 깨어 있을 이유가 없어져 버린 것이다. 그럼에도 새벽을 기다린 이유는 진아와 이야기할 수 있었기 때문이었다. 졸린 눈을 비비며 진아와 약속한 시간을 손꼽아 기다렸다. 쌩쌩한 진아는 매일 흐리멍덩한 눈으로 수다 떠는 나를 보며 웃었다. 롱디 커플은 언젠가 끝이 있다는 이야기는 롱디 프렌즈인 우리에겐 어울리지 않는 것만 같았다. 서로 떨어져 있는 동안 마치 함께 있는 것처럼 지냈지만, 우리는 시간의 강 앞에서 반대편에 서있었다. 서로의 특별한 순간을 함께 했던 것은 기억 저편으로 희미해지고, 이제는 각자의 앞길을 닦아야만 했다. 나는 꿈에 욕심이 있었고, 진아가 잘되는 것 역시 나의 기쁨이었기에 기다림은 자연스러운 일이었다. 그 기다림은 내게 진아를 위하는 마음이었지만, 진아에게는 나와 멀어지는 시간들이었다. 그렇게 우리는 서서히 시간을 핑계로 거리를 늘려갔다. 점점 통화하는 횟수는 줄어들었고, 귀국하고도 진아를 자주 볼 수 없었다. 우정에 순위가 있다면 가장 1순위에 있던 진아였다. 그런 진아에게 나는 저 뒤에 있는 것 같은 느낌을 지울 수 없었다.

우리가 했던 이별의 약속은 우리도 몰랐던 유효기한이 있었다. 우리가 졸업하던 그날까지. 졸업식 며칠 전, 진아의 SNS에서 학사모를 쓰고 찍은 사진을 보았다. 진아도 나와 같은 날 졸업을 하는 듯했지만, 그 소식을 보고도 진아에게 메시지를 보낼 수가 없었다. 핸드폰에 진아와 나누던 문자창을 켜두고도 손가락이 움직이질 않았다. 진아와 내가 예전 같은 사이가 아니라는 걸 이미 알고 있었는지 전처럼 편하게 문자를 보낼 수가 없었다. 오래전 보낸 안부 문자의 사라지지 않은 숫자 1을 한참을 들여다보다 창을 닫았다. 그렇게 진아의 졸업 소식을 알고도 아무것도 할 수 없었다. 평소 같았으면 주저없이 전화했을 텐데 굳어버린 내 모습에 눈물이 흘렀다. 내 마음에도 두꺼운 벽이 쌓인 것만 같았다. 그대로 진아를 잊고 졸업하려 했는데, 졸업식 당일이 되니 자꾸만 눈이 진아를 찾고 있었다. 서로 겹쳐 사진을 찍는 수많은 인파를 눈으로 골라내며 진아를 찾아보아도 보이지 않았다. 진아를 처음 만났던 이 학교에서의 마지막 날이어서 꼭 보고 싶었다. 자연스레 머리에서 흘러나오는 진아 번호로 전화를 걸었다. 오늘도 안 받겠지…….

"여보세요?"

"어, 진아야! 전화 받았네! 너 오늘 졸업해? 어디야?"

늘 그랬듯 통화연결음만 듣다가 그대로 끊을 줄 알았는데 수화기 너머 들리는 진아 목소리가 반갑기보다는 당황스러웠다. 갑자기 왜 전화를 받았을까? 하는 물음표가 가득 찼다. 어쩌면 나도 이미 진아와의 끈이 끊겼다고 생각하고 있었는지도 모른다. 졸업반으로 갈수록 진아는 미래에 관한 얘기를 안 했다. 불투명해서 말하고 싶지 않겠거니 하고 어느 하나 묻지 않고 기다렸다. 그러면 진아가 안정적일 때 나를 찾아줄 거라 생각했다. 덕분에 진아를 향한 기다림은 걱정하고, 또 화도 나고 섭섭해하길 반복하던 시간이었다. 오늘까지 전화를 안 받았다면 그냥 진아를 잊고 살려고 했을 텐데, 갑자기 전화를 받아서는 다시 나를 잡아당기는 진아가 조금은 미웠다. 하려던 말을 하긴커녕 짧고 굵게 어디 있는지를 묻고는 진아가 있다는 곳으로 달려갔다. 그동안 잘 지냈는지, 혹시 무슨 일이 있었는지, 몸이나 마음이 아프지는 않았는지. 머릿속에 맴돌던 무수한 생각과 걱정들이 달리는 머리칼에 함께 스쳤다.

"진아야!"

정말 오랜만에 진아의 눈을 마주 보았다. 꽉 찬 물컵처럼 눈물이 차올라서 곧 쏟아질 것만 같았다. 진아를 보지 못하는 동안 마음에 쌓여 있던 솜뭉치들을 진아의 눈이 적셨는지 콱하고 무거워졌다. 내 주변에 있는 가족들과 친구들이 보이지 않고 오직 진아만 보였다. 등을 돌려 진아를 감춰주었다.

"진아야, 너 무슨 일 있었어? 괜찮아 말해봐."

진아는 아무 말도 하지 않았다. 절친이었던 내 얼굴을 보니 눈물이 울컥 올라오긴 했지만, 나에겐 털어놓고 싶지 않은 듯했다. 수없이 많은 물음표가 내 머릿속을 떠다녔다. 진아는 이내 특유의 입술을 꾹 다문 미소를 내보였다. 말하고 싶지 않구나. 평생 남을 사진을 웃으며 찍고 싶었다. 더 이상 질문하지 않은 덕분에 우리의 대학 생활은 활짝 웃는 모습으로 끝났다. 그 뒤로 진아를 계속해서 찾았지만, 시간은 더 이상 우리를 이어주지 않았다. 시간이 흘러도 변치 않을 거라 생각했던 우리는 그저 꿈일 뿐이었다.

"우리 이제 보지 말자."

"그래. 잘 지내."

몇 개월간 연락이 안 되던 진아에게 보냈던 문자가 시작이었다. 졸업식 날 그렇게 헤어지고 한참을 걱정하며 지냈다. 걱정스러운 마음만 잔뜩 심어 주고서는 연락도 되지 않는 게 섭섭하기도, 화가 나기도 했다. 그런 마음을 다 뒤로 하고 아끼는 진아를 걱정하고 응원하는 마음만 담아 문자를 보냈다. 나는 그저 안부를 묻고 싶었던 것뿐인데, 진아는 기다렸다는 듯 그동안의 내 연락이 얼마나 부담스러웠는지 털어내기 시작했다. 시속 150km의 직구가 가슴에 던져진 것 같았다. 진아가 잘되기를 바라면서 조용히 기다리던 나의 마음을 그렇게 생각하고 있는 줄은 몰랐는데. 진아는 그동안 자신이 얼마나 바빴는지, 어떤 상황이었는지 그제서야 문자에 실어 보냈다. 나는 모두 처음 듣는 소식이었다. 진아는 나에게 그런 이야기 한 번 털어놓지 않았다. 말하지 않아도 바쁜 자기를 이해해 주길 바랐다기에는 너무나 잘 지내 보였다. SNS에는 새로운 연인과의 즐거운 일상들이 올라왔고, 나는 그저 축복할 뿐이었다. 말이 없는 진아를 그저 기다리고 또 기다리다 한 백번은 마음을 참아내다가 연락한 거였는데. 진아가 연락할 때까지 기다려야 했던 건지 혼란스러운 마음과 내 잘못인가 하는 마음이 내 속에 뒤죽박죽 엉켰다. 이번에 보낸 문자도 사실 답이 없을 거라 생각하면서 보낸 문자였다. 핸드폰에 울리는 문자를 기쁜 마음으로 열었는데 이렇게 내 마음을 아프게 할 줄이야. '내가 널 얼마나 아끼고 생각했는데'라고 말하고 싶었다. 말해봤자 진아는 이해하지 못할 거라 생각했다. 말하지 않아도 진아의 답을 들은 기분이었다. '그런 네 마음이 부담이라는 거야' 나의 마음을 이해했다면 진아는 이런 말도 나한테 하지 않았을 거다. 그래서 진아에게 더 이상 내 마음에 대해 구구절절 설명하고 싶지 않았다. 진아에게 쏟았던 내 마음이 아까웠고, 이렇게 끝날 거라면 진작 끝낼 걸 하는 후회들이 밀려왔다. 손가락 아래로 불어낸 풍선 속에 숨어 말하는 진아가 너무 미웠다. 핸드폰 화면을 톡톡거리던 그때의 나는 어쩌면 이 관문을 지나면 진아와 더 깊은 친구가 될 수 있다는 착각에 빠져 있었는지도 모른다. 아쉽게도 우리는 꼬인 실타래를 풀지 못하고 꼬였다는 것을 확인만 한 채 끝내 버렸다. 친구 사이에도 이별이 있다는 것을 나는 그때 알았다. 나의 마음을 부담으로 느끼는 진아와는 언젠가 예견된 이별이었겠지만, 대학 생활을 함께한 가장 가깝고도 소중했던 친구를 보낸다는 것은 쉬운 일이 아니었다. 그 시절의 나 역시도 보내야 했기 때문이다.

"이까짓 라디오 하나 때문에 다시 네가 생각난다니, 정말 짜증 나."

하필 또 진아와 같이 갔던 콘서트의 그 가수가 진행하는 라디오여서 더 진아가 생각났다. 마음에 멍울처럼 남아있는 진아를 어떻게든 만나 다시 한번 매듭짓고 싶었다. 그때의 우리가 어렸던 것일지, 지금의 우리는 다를지. 어쩌면 달랐으면 하는 마음이었다. 그때는 우리가 어려서 서로를 좀 더 이해하지 못했던 거였기를 바랐다. 그런 작고도 큰 바람을 안고 곧바로 후배 지혜에게 전화를 걸었다. 연주회에 가겠다고 말하자마자 전화기 너머 지혜는 크게 소리 질렀다. 몇 년을 초대했는데 이제야 오냐고 투덜거리면서도 제일 좋은 자리를 빼두길 잘했다며 기뻐하는 목소리였다. 진아도 나오는지 궁금했지만, 묻지는 않았다. 진아가 온다는 것을 알면 연주회까지 남은 며칠을 두통과 함께 보낼 것 같아서였다.

어쩌면 진아를 만날지도 모르는 연주회에 혼자 가고 싶지는 않았다. 핸드폰 속에는 진아를 만났던 강의를 같이 들은 동기들의 연락처가 가득했다. 그 중 진아와 가까웠던 사람이 누구였는지 고민하며 스크롤을 내리던 중 재경이가 눈에 띄었다. 재경이와 진아는 같은 아이돌을 좋아하는 공통점으로 친해졌다. 진아와 친했기에 나도 자연스레 스미듯 재경이와 가까워졌다. 재경이의 소식은 SNS를 통해 잘 보고 있었지만, 연락하는 것은 너무 오랜만인지라 글자에서 어색함이 보일 지경이었다. 다행히 재경이는 나와의 만남을 반가워했고, 우리는 강남역 별다방에서 퇴근 후에 만나기로 했다. 무슨 말을 어디서부터 꺼내야 할지 머리가 미로처럼 복잡했다.

"주원아!"

까만 코트에 작은 배낭을 멘 재경이가 눈이 아주 작아질 정도로 활짝 웃으며 나를 껴안았다. 재경이는 시간이 지나도 그대로였다. 나를 이토록 환하게 반겨주는 재경이의 모습에 진아 때문에 연락했다는 말을 꺼내려니 입술이 떨어지질 않았다. 이야기를 빙빙 돌리는 걸 알아챈 재경이가 '그래서, 하고싶은 말이 뭔데?'하고 물었다. 그제서야 내 머릿속 프롬프터가 작동하기 시작했다.

"예전에 우리 학교 합주 동아리 기억나? 나 아는 후배가 좋은 자리 있다고 초대해 줬는데, 같이 갈래?"

"오, 그 동아리? 기억하지! 예전에 진아 있던 곳이잖아. 나야 콜이지!"

재경이의 대답을 들으니 불안했던 마음이 한결 가벼워졌다. 일단 같이 갈 사람은 구했는데, 재경이는 계속 진아 이야기를 꺼냈다. 그 동아리에 아는 사람이 진아밖에 없으니 어쩌면 당연했다. 연주회에 가서 진아를 마주치면 예전과 다른 우리를 분명히 알아챌 텐데. 날 따라 연주회에 온 재경이를 그 자리에서 당황하게 할 수는 없었다. 진아와 오래도록 보지 않고 있다고 솔직히 말해야만 했다.

"재경아, 사실 나 진아 안 본 지 좀 됐어."

재경이는 바로 되물었다. 그토록 가까웠던 우리 사이가 멀어지다 못해 안 보고 있다는 걸 못 믿겠는 눈치였다. 그래도 한때 가장 친한 친구였던 진아와의 기억을 미운 기억으로만 남기고 싶진 않았다. 적당히 덜어내고 이야기해도 재경이는 대충 우리의 시간을 가늠해 냈다. 연주회에도 진아가 나올 것 같은데, 혼자 가기가 너무 힘들 것 같아서 같이 갈 사람이 필요했다는 이야기도 솔직히 말했다. 재경이는 내 마음을 이해한다는 듯 축 처진 입꼬리로 고개를 끄덕였다. 지나간 인연을 마주하게 될지도 모른다는 생각에 떨며 이야기하고 있는 내 모습이 참 웃겼다. 진아도 내가 온다는 소식을 들으면 이렇게 많은 생각들을 할까 싶었다. 나를 그리워했을지, 아니 그립지는 않아도 잊지나 않았을지.

재경이와 대학 시절 먹던 즉석 떡볶이를 먹으며 지나간 추억들을 곱씹었다. 입학 전 들었던 강의에서 교수님이 과자 파티를 하자며 과자를 펼쳐두게 하곤 두 시간 넘게 연설하시던 일, 강의 시간을 놓쳐 뛰어가다 우스운 꼴로 마주쳤던 일 등 시시하지만 즐거웠던 그때의 이야기들이 널브러졌다. 몇 년이 지나 갑작스레 안부 연락을 한 나를 반겨준 재경이가 새삼 고마웠다. 이전과 같은 모습으로 헤어져 지하철을 타러 가는 재경이의 뒷모습을 보며 또 진아가 떠올랐다. 나의 연락에 곧 보자는 거짓말이라도 해주었다면 십 년이고 기다릴 수 있었을 텐데.

진아를 만나면 어떻게 해야 할지 매일 머릿속으로 그렸다. 인사는 어떻게 해야 할지, 인사를 하면 그 뒤엔 무슨 말부터 해야 할지. 그때 내가 어떤 생각이었는지 주절주절 말해야 할지, 그냥 말하지 않는 것이 나을지……. 진아를 만날 걱정에 수십 개의 시나리오를 써 내리느라 며칠 밤을 꼬닥 보내니 연주회 날이 되었다. 그동안 쓴 시나리오 중 가장 가능성이 있는 것은 두 가지였다. 하나는 그냥 멀리서 진아를 보고 나오는 것, 다른 하나는 연주를 끝낸 진아에게 찾아가는 것. 연주회에 같이 가기로 한 재경이와 먼저 점심을 먹기로 했다. 재경이는 그동안 나의 여러 시나리오를 듣느라 피곤했을 텐데도 또 내 이야기를 들어주고 있었다. 우리의 아름다운 시절을 아는 재경이는 진아와 한마디라도 나눠보는 건 어떠냐고 물었다. 나도 그 생각을 하지 않은 것은 아니었다. 그런데 무슨 말을 해야 하지? 진아가 안 올지도 모른다며 얼버무리곤 연주회장으로 향했다.

"언니!"

검은 슈트를 차려입은 지혜가 나를 껴안았다. 맨날 초대했는데 이제야 온다며 칭얼대던 지혜 뒤로 진아 같은 얼굴이 보였다. 초점을 잡아보려 미간을 찌푸리는 내 옆으로 재경이도 같은 표정이었다. 그동안 얼마나 기다렸는지, 이 자리가 얼마나 좋은 자리인지 계속 늘어놓던 지혜는 우리 표정을 보고 말을 멈췄다.

"아 언니, 저기 진아 선배도 있잖아요. 예전에 언니가 소개해 줬던!"

내가 그렇게 초점을 잡아보려 했던 사람이 바로 진아였다. 지혜 말을 들은 재경이는 내 팔을 툭 치며 진아 쪽으로 눈짓했다. 가보라고? 심장이 뛰는 소리가 귀까지 들렸다. 눈에는 눈물이 고이고, 갑자기 목도 확 잠기는 듯했다. 나 지금 슬픈 건가? 진아가 너무 그리웠던 건가? 아니면 진아가 여전히 미운 건가? 지금 진아에게 가면 아무 말 못 하고 눈물만 흘릴 것 같아 급히 등을 돌렸다. 졸업식날 진아를 감싸주었던 것처럼 재경이가 나를 감싸주었다. 재경이가 없었다면 느끼지 못했을 안도감에 가슴을 쓸어내렸다. 뒤돌아 생각하니 여전히 진아가 그립고 또 미웠다.

"재경아, 나 그냥 갈래. 그냥 봤으면 됐어. 잘 지내니 다행이야."

그냥 가겠다는 말에 재경이도 곧장 발길을 돌렸다. 돌아서는 발걸음에도 진아가 밟혔다. 그런데 하고 싶은 말은 없었다. 나는 또 진아와 이별하던 그때의 마음과 똑같은 마음이 드는데, 진아의 마음도 그때와 같을까 봐 무서웠다. 오래도록 연락이 안 되던 그때, 내가 얼마나 걱정했었는지 아직도 모를 거다. 혹시 마음이 아픈 건 아닐까, 말 못 하고 혼자 확 나쁜 선택을 할까 봐 덜컥 이유 없는 겁이 나던 그때. 사실은 그럴까 봐 자꾸 연락했었다는 걸, 알려주면 진아는 이제라도 이해하기는 할까. 여전히 나의 마음을 부담으로 여길지도 모른다는 생각이 들었다. 내 속을 드러내서 상처받을 거라면 드러내고 싶지 않았다. 연주회도 보지 못하고 나와버려 또 지혜에게 한 소리를 듣게 생겼지만 어쩔 수 없었다. 연주회장에서 나오니 긴장이 풀려 눈물이 쏟아졌다. 진아에 대한 내 마음이 다시 보인 순간이었다. 여전히 아프고 저린 진아와의 기억에, 곁에 있는 재경이와 초대해 준 지혜에 대한 미안함까지 겹쳤다. 재경이는 그날 내 눈물이 멈출 때까지 등을 두드려 주고 나서야 집으로 향했다.

연주회가 끝난 지 일주일이 지난 어느 날, 재경이에게 연락이 왔다. 급히 할 말이 있다던 재경이는 회사 밑 별다방에서 나를 기다리고 있었다.

"주원아, 진아도 그날 너를 봤대. 나한테 연락이 왔더라."

진아가 나를 보고도 오지 않았다는 생각에 역시나 싶었다. 진아는 여전히 차가운 것 같아서 내가 무얼 기대한 건지 한심하다는 생각마저 들었다. '진아가 나를 봤다고? 그럼 진아는 왜 나한테 오지 않았을까?' 하고 물었다. 어차피 우리의 상황을 모두 알게 된 재경이 앞에서 숨길 게 없었다. 나의 질문에 재경이가 진정하라는 듯 두 손을 휘적이며 말했다. 진아도 그날 나를 봤는데, 내가 한참을 뒤돌아 있더니 그대로 가버리길래 쫓아갈 수 없었다고 했다. 재경이의 말을 들으니 오해하고 잠시 들썩이던 마음이 가라앉았다. 그날 진아가 나에게 오려고 생각했었다니. 내심 기대했던 모습이라 살짝 기쁜 마음이 들었다. 슬쩍 올라가는 입꼬리를 꾹 힘을 주어 내렸다. 이런 작은 거에도 기쁜 마음이 든다니 어이가 없었다. 서로를 봤는데도 우리의 타이밍은 여전히 어긋나는구나 싶었다. 오히려 잘됐다 하는 생각이 머리에 스쳤다. 결국은 나도 진아에게 가지 않았고, 진아도 나에게 오지 않았다. 우리의 마음이 여전히 마주할 준비가 안 됐기 때문이라 생각했다. 우리가 다시 만나도 우리는 늘 다른 타이밍으로 엇갈릴 것 같았다. 우리의 엇갈리는 타이밍 사이에서 재경이를 더 곤란하게 하고 싶지 않았다. 전해줘서 고맙다는 말과 함께 재경이에게 더 애쓰지 않아도 된다고 말했다. 소개팅 주선에 실패한 사람처럼 슬픈 표정을 짓는 재경이의 얼굴을 보니 더욱 미안해졌다.

집에 도착해서는 휴대폰을 손에 쥔 채 허무한 몸을 침대 위로 던졌다. 휴대폰 진동 소리에 전화를 보니 진아의 이름이 화면에 떠 있었다. 무슨 용기였는지 전혀 고민도 하지 않고 전화를 받았다. 진아는 머뭇거리며 말을 시작했다. 그때의 자기가 왜 그랬는지 모르겠다며 울었다. 진아의 진심에 나도 진심을 꽉 막힌 목소리로 말했다.

"나 사실 그때 너를 정말 영영 잃게 될까 봐 무서웠어. 졸업식 날 아무 말 없이 울먹이는 네 모습이 너무 힘들어 보였거든."

정말이었다. 졸업식 날 눈물을 글썽이던 진아 모습은 마음속에 덩어리처럼 남아 계속 걸렸다. 일상을 잘 살다가도 문득문득 자꾸 진아의 모습이 떠올랐다. 무엇이 진아를 그렇게 힘들게 하는 건지 내가 해결해 줄 수 있다면 뭐든 나서고 싶었다. 소리내 울지도 못하고 그저 눈물만 흘리며 아무 말 하지 않던 진아. 그 모습 때문에 진아가 너무 걱정되고 내 소중한 친구를 잃을지도 모른다는 생각까지 갔었다. 예전처럼 자주 보지도, 이야기를 나누지도 못하는 상황에서 걱정은 더욱 늘어만 갔다. 진아가 조용히 잘 지내고 있는 것이 아니라, 또 그렇게 혼자 힘들어하고 있는 건 아닐지……. 그래서 그렇게 진아를 찾았다. 혹시나 힘들어하고 있다면 나의 이 연락을 핑계로 조금이나마 털어낼 수 있기를 바랐다. 물론 이게 결국은 진아에게 날 아주 귀찮고 부담스러운 존재로 만들었지만, 내 행동에 후회는 없다. 진아는 정말 소중한 친구여서 다시 돌아가도 그렇게 했을 테니까.

내 말을 듣고 진아는 더 엉엉 큰 소리로 울었다. 그때 손에 쥔 휴대폰이 울렸다. 휴대폰을 울린 건 다름 아닌 여론조사 전화였다. 진아와의 눈물의 화해는 꿈에서나 이루어지는 일이었나 허탈한 웃음이 터졌다. 여전히 진아가 그립고 또 미웠다. 아마도 언젠가 또 진아가 떠오른다면 나는 또 진아를 보고 싶어 할 것이다.

꿈속의 화해로 한 발짝 떨어져 나를 보았다. 그때 얼마나 아팠는지 그저 꿈일 뿐인데 가슴이 쓰렸다. 다 지나간 인연을 붙잡는 것이 얼마나 어려운 일인지 허황된 꿈을 꾸고 있는 내가 보였다. 진아와 나 사이에는 쉼표가 있기를 기대했지만, 이제는 마침표를 찍어야만 한다. 가슴 속에 남은 멍울 같은 진아와의 기억을 풀어낼 수 있는 것은 오롯이 나였다. 차가운 것과 뜨거운 것이 만나면 열평형을 이루지만 그때의 우리는 열평형을 이루지 못했다. 서로의 온도를 맞춘다는 것은 우리에겐 너무 어려운 일이었다. 이제 나는 온도를 맞출 줄 아는 사람이 되었지만, 진아는 곁에 없다. 남은 삶 속에서 진아가 전혀 안 떠오르진 않겠지만 더이상 찾아 나서진 않을 것이다. 다시금 꿈에서 만나게 된다면 이렇게 말해야겠다.

여전히 네가 행복하기를 바라. 네가 잘 못 지내면 더 신경 쓰일 것 같거든.

그러니 나를 위해서도 늘 행복하게 잘 살아. 나도 그럴 거니까.

우리 다시 보지는 못하겠지만, 나를 기억해 줘.

울면 울수록 우는 일만 생긴단다

구현

구현

어른이 된 지금 '나'는 어린 시절 할머니께서 해주셨던 말을 간혹 되새깁니다. 그때를 회상하며 내 삶에 스며들게 지혜로이 살고자 합니다.

아무쪼록 그대들과 부디 오래오래
조각들을 나누어 행복하게 살아보려고 합니다.
바라는 마음보다 그저 감사할 따름이라고 말하고 싶습니다.

2024년 2월
구현

하루라도 조용히 넘어가지 않으면 그날은 이상한 날이었다. 채희의 세상은 운수 좋지 않은 날들의 연속이었다. 채희의 아버지는 철거물 보조공으로 막노동해서 돈을 번다. 그의 수입은 하루에 고작 16만 원 남짓이다. 채희네 3명의 식구가 살아가기엔 빠듯한 몇 푼이었다. 굳은 살과 기름때로 무성하고도 투박한 채희의 아버지 손에는 항상 검은 비닐봉지가 대롱대롱 들려있다. 퇴근길, 술에 취한 비틀거리는 발걸음과 흥겨운 듯 트로트 한 구절이 흘러나온다. 밤 9시가 채 되지 않은 시간도 덩달아 구슬프다.

"그 누가 알아주나, 그 누가 알아주나, 속절없이 살아온 세월……."

검은 봉지에는 소주 2병과 새우과자 하나, 팥 아이스크림 2개가 들어있다. 소주 2병과 새우과자는 채희 아버지 윤필모의 모자란 술 허기를 달랠 몫이었다. 팥 아이스크림은 집에 있는 채희를 위한 것이다. 공사 현장에서 고되게 일한 노동의 흔적이라도 보여주듯 퀴퀴한 발냄새와 먼지들이 뒤섞여 휘청거리는 몸짓에서 뿜어져 나온다. 남은 소주들을 기어이 빈 병을 다 만들고 나서야 그제야. 코 골고 주무신다. 코 고는 소리가 안방을 떠나가라 하고 울려 퍼져야 그제야 채희는 안방 문을 닫고 거실에서 속닥이며 널브러져 있는 빈 병들을 치운다. 널브러져 있는 소주병과 채희 아버지 윤필모를 치우고 챙기는 것은 순순히 채희만의 몫이었다.

채희의 어린 시절 두 부모님은 안 싸우는 날이 없었다. 채희에게 고스란히 그런 순간들은 늘 암울한 빛이 보이지 않는 지옥이었다. 매번 꽉 막혀서 숨쉬기가 힘겨웠고 집이 편한 적이 단 한 번도 없었다. 얼굴 낯빛에 어둠이 내려앉은 채희가 중얼거린다.

'가본 적 없지만, 하나님께서 말하는 지옥이 이런 건가요?'

부모님이 싸우는 모든 순간은 공포 그 자체였다. 그렇게 지내 온 채희는 너무도 일찍 철이 들었다. 밥 먹다가 밥상이 날아가는 것은 기본이고, 식사 시간에 쌀밥을 알알이 씹어 넘기는 게 쉽지 않았다. 항상 밥상에서 번진 두 부부의 싸움이 잦고 극에 치달았다. 일상 생활비 얘기로 시작해 돈으로 물들어 파국으로 끝난 부모들의 싸움이었다. 그것은 채희에게 마치 반복되고 멈추지 않는 쳇바퀴 같았다. 어른들의 과오를 고스란히 전해 받는 이는 바로 채희였다. 채희는 헤어 나올 수 없는 굴레 속에 갇힌 기분들을 가득 품은 채 힘겹게 살아갔다.

채희는 하루라도 편히 밥 먹을 날이 없었다. 식사 시간은 늘 길지 않았고 순식간에 마치곤 했다. 채희는 자주 물에 쌀밥을 자주 후루룩 말아먹곤 했다. 단순히 빨리 마음 편하게 먹기 위해서였다. 물 마시듯 들이키고는 빈 밥그릇과 밥숟가락을 들고 "잘 먹었습니다."를 내뱉고 그 자리를 떠야만 채희의 마음이 한결 편했다. 자리에 앉아 더는 부모님의 큰소리가 오고 가는 것을 듣고 싶지 않아서였다. 세 식구가 겸상하는 날이면 혹여 싸움이 나진 않을까, 큰소리 날까 두려워했다. 식사 시간이 늘 조마조마했던 채희는 눈치 보다가 꼭 체해서 소화제를 자주 찾았다.

옆집 아주머니의 핀잔이 불통의 원인이 되어 아주 크게 부부싸움으로 번진 어느 날이었다. 23평 남짓 아파트가 떠나가라 하고 그릇 깨부수는 소리, 무언가 모를 것을 던져 부수는 소리, 여자아이의 우는 소리 등등 다양한 소리가 복도를 타고 뒤섞여 울린다. 여자 사람들이 흐느껴 우는 소리가 들린다. 집은 그 당시 6층이었는데, 채희 아버지는 분이 안 풀린 나머지 안방 옷장에 있는 옷감들을 마구 밖으로 던지기 시작했다. 채희 모녀는 1층에서 떨어진 옷감들을 주워다가 이웃집에 맡기고는 그 뒤로 헤어졌다. 울면서 몸 잘 챙기라는 말을 뒤로한 채 엄마는 채희가 초등학교 1학년이 되던 해에 집을 나갔다. 그 후로 채희는 엄마를 볼 수 없었다. 채희 엄마도 채희가 남은 집으로 영영 돌아오지 않았다.

나만 집에 덩그러니 외로이 버려두고 엄마가 집을 나갔다. 하지만 채희는 그런 엄마를 미워할 수 없었다. 채희의 시선에서 엄마는 늘 몸도 마음도 모든 게 가녀린 존재였다. 어쩌면 가녀린 존재 그 이상이었는지도 모른다. 항상 부부싸움이 시작되면 아버지는 큰소리를 냈고, 분이 안 풀려 물건을 던졌다. 하지만 그에 비해 엄마는 감정적으로 대하지 않고 어린 나를 보호하려 애썼다. 산산조각이 나서 깨진 그릇들을 치웠고, 하찮은 쓰레기 부스러기들을 종량제봉투에 다시 담기 바빴다. 해가 지고 어둠이 내려앉은 밤에 나가 분리수거장에서 쓰레기를 버렸다. 이웃 주민 중 누구 한 명이라도 볼까 봐 엄마의 발걸음이 쉬쉬거리는 게 아직도 채희 눈에 아른거린다. 아빠가 화를 내고 집을 나간 날에는 부둥켜안으며 울었다. 이제는 무섭지 않다고 괜찮다며 서로를 위로하기에 바빴다. 이렇게 채희 두 모녀는 둘만의 돈독함을 다져나갔다. 둘만의 끈으로 옭아 묶어두며 그렇게 서로를 위로한채 살아갔다.

채희는 집을 나간 엄마를 잠시 이해하는 척 덮어뒀다. 어린 채희의 눈에는 늘 자기 말곤 우는 엄마를 지켜주는 사람이 없어 보였다. 그때부터 채희는 나만이라도 엄마의 편이 되어야겠다고 결심했다. 자기라도 엄마를 배신하면 안 된다는 생각이 채희를 집어삼켰다. 채희는 엄마의 유일한 편이었다. 어른들보다 작은 덩치로 참고 우는 엄마를 지켜줘야만 했다. 엄마를 대신해 큰 목소리로 핏대 세우며 부부싸움을 중재하고 말려야만 했다.

집을 나간 엄마가 미웠을 법도 한데 채희는 엄마와의 연을 쉽사리 끊어내지 못했다. 남들이 보기에는 집을 나간 무책임한 엄마였을지라도, 채희에겐 따뜻한 품을 가진 이 세상에서 단 하나밖에 없는 사람이었다. 보고있어도 또 보고 싶은 엄마였다. 채희는 보고 싶어서 집 나간 엄마를 자주 상상하곤 했다. 엄마가 지금 당장 내 곁에 없더라도, 사무치게 그리워 상상만으로도 눈물이 그렁그렁 맺혔다. 채희는 그렇게라도 간신히 엄마와의 연을 끊어내지 못하고 붙들고 있었다.

돈을 벌러 수도권으로 상경했다는 소식 외에는 엄마에 관한 이야기를 채희는 들은 게 없다. 엄마의 연락처도 몰랐기에, 채희가 엄마를 대신해 무작정 찾아간 곳은 외할머니집이다. 채희는 집을 나간 엄마를 수소문해 찾아갈 용기가 없었다. 그저 시간이 흘러 엄마가 나를 찾으러 와주기만을 바랐다.

집을 나와 오갈 때 없는 채희는 외할머니집으로 들어가 살게 된다. 6개월 전, 채희 얼굴에는 눈물 자국이 군데군데 남아 있고 어딘가 모르게 정신없어 보였다. 허둥지둥 버스에 올라타, 채희가 향한 목적지는 경상남도 통영이었다. 채희가 집을 나와 뒤도 돌아보지 않은 채 외할머니댁으로 갔다. 사람 한 명 다니지 않을 것 같은 골목길이었다. 오밤중 마을 가로등과 달빛만이 간신히 채희의 발걸음을 비추곤 했다.

"할머니. 할머니, 나 채희야!"

다급하게 외치며 대문을 부서질 듯 두드린다. 그 날밤 채희와 외할머니는 한참을 부둥켜안고 그간 무슨 일이 있었는지 이런저런 얘기가 한참이나 오간다. 한바탕 울고 난 후 이제는 할머니가 화를 내며 다그치듯 말했다.

"아이, 울지마라. 울지마! 울면 우는 일만 생기니까 눈물 닦고,

우리…….”

울면 우는 일만 생기니까, 울지 말라고 말씀하셨다. 별거 아닌 일로 울지 말라고 하셨다. 우는 일이 많으면 못 쓴다며 눈물 뚝 그치라고 나를 다그쳤다. 그날의 눈물을 할머니의 말로 닦아 그쳤다.

한 달에 2번꼴로 엄마와 채희는 버스를 두 번이나 갈아타 외할머니 집을 자주 갔다. 채희 모녀는 할머니 집에서 배불리 밥도 먹고 식당 일을 거들었다. 일손을 도와주고 나면 몇 주가량 먹을 식량과 반찬을 할머니한테서 자주 얻어가곤 했다. 그래서 그런지 채희에게는 어릴 때 배불리 맘 편히 밥 먹여 준 유일한 사람이 외할머니였다. 채희는 외할머니댁에서 따뜻하고 안락한 집의 훈기를 느꼈다. 그래서 집을 나가자마자 외할머니를 향해 찾아갔다. 채희는 익숙한 듯 외할머니가 운영하는 해물탕 식당 일을 거들며 함께 지냈다.

어린 시절 상처는 잠깐이지 덮어둬서 안 보이는 책장 어딘가에 처박아 놓아야만 했다. 상처를 꺼내 들여다볼 시간과 치유할 만한 여유 같은 것들은 사치였다. 지금 당장 하루 벌어 하루 먹고살기도 급급했다. 외할머니의 벌이로 채희와 단둘이서 생활하기엔 아무래도 역부족이었다. 생활비도 턱없이 부족하고, 용돈 한 푼 없기에 채희도 돈을 벌기 위해 대학을 포기하고 사회생활에 뛰어들었다.

할머니 일손을 도와 아르바이트를 하면서, 채희가 처음으로 가지고 싶은 게 생겼다. 조그마한 MP3 음악 플레이어를 사고 싶었다. 줄 이어

폰으로 음악을 들으며 버스 타고 등하교하는 친구들이 부러웠다. 채희는 어려서부터 음악을 즐겨 듣고 불렀다. 아무것도 모르는 천진난만한 일곱 살 무렵의 채희는 낯가리지 않고 어른들 앞에서 재롱도 잘 부렸다. 노래 잘 부른다고 할머니의 칭찬 들은 날이 있다. 가수가 될 거라고 동네가 떠나가라 하고 온종일 외쳐댄 적이 있었다. 채희는 좋아하는 음악을 흥얼거리며 부르고 듣는 게 유일한 취미였다. 식당 아르바이트 첫 급여를 받으면 꼭 MP3 음악 플레이어를 사야겠다고 마음먹었다.

채희가 잘 좀 살아보고자 뛰쳐나가 찾아갔던 유일한 안식처는 외할머니의 품이었다. 그런 할머니는 채희에게 세상에 발을 다시 들일 수 있게 마음먹게 도와준 사람이었다. 채희는 할머니 곁에서 한결 마음 편하게 지냈다. 언제 어디서 어떻게 싸워서 터질지 모르는 시한폭탄 같은 부모들의 부부싸움에서 벗어나 마침내 비로소 평화로움을 얻었다. 항상 할머니는 채희의 마음을 유일하게 알아주고 읽어주었다. 할머니는 22살 생일을 맞아 채희에게 음악 듣는 기계를 사주고 싶어 꼬깃꼬깃한 지폐가 담긴 돈 봉투를 건넸다.

채희와 할머니는 생활 형편이 여유 있진 않았지만, 소소한 일상에서 행복을 경험하곤 했다. 채희의 아침잠을 깨우는 것은 할머니의 일어나라는 목소리가 아니었다. 잠이 많은 채희는 아침에 눈 뜨기 힘들어했다. 꿈속에서 허우적거리느라 쉽사리 일어나지를 못했다. 채희가 잠에 취해있는 동안 밥 짓는 냄새가 진동한다. 갓 지은 밥 냄새가 집안에 퍼진다. 주방에는 압력밥솥에서 증기가 배출돼 밥 짓는 소리로 가득하다. 할머니는 채희에게 항상 비가 오나 눈이 오나 아침밥을 꼭 지어서 해먹이곤 했다. 참치와 김치를 넣고 푹 끓여 찌개를 한 상 차려주기도 하고, 밭에서 기른 싱싱한 채소 쌈들이 아침부터 거하게 올라오기도 했다. 할머니는 항상 채희에게 귀에 딱지가 앉을 정도로 밥상 차리면서 하는 말이 있다. 한국인은 밥심이라고 밥을 잘 먹어야 한다고 말을 꽤 많이 자주 한다.

채희는 남들 앞에서 제 앞가림은 할 줄 아는 어엿한 숙녀로 컸지만, 할머니한테만큼은 어리광 부리는 아이처럼 투덜대기도 했다. 입은 뾰로통하게 튀어나와 채희가 아침밥 안 먹고 싶다고 말을 한다. 그러면서도 채희는 할머니가 차려준 밥은 꼭 남기지 않고 다 긁어먹곤 한다. 말과 행동이 다른 모순된 행동을 가끔 보이곤 한다.

밭에 심어놓은 배추로 김장김치를 담으며 한 해가 시작된다. 넓지 않은 마당에 각종 김장에 들어갈 양념 재료와 도구들이 즐비해 깔린다. 그러고 얼마 후, 할머니 집 주변 어르신들이 하나둘 모이기 시작한다. 그날은 마치 동네 잔칫날 같은 하루다. 한 가마솥에서는 수육을 삶고, 다른 한 곳에서는 굴을 준비한다.

또 어떤 날에는 채희와 할머니는 농사지어 남은 고구마 껍질을 벗기고 자른다. 그 작업을 마치면 조그마한 옥상에서 돗자리를 깔아 건조를 시킨다. 이참에 마음먹고 고구마말랭이를 잔뜩 만든다.

고구마 빼떼기죽은 고구마가 바짝 마른 정도가 동물 뼈다귀만큼 단

단하다고 해서, 뼈다귀의 방언인 '빼다기'에 '빼대기'라는 말이 나와 일컫는 죽이다. 소화가 되지 않아 밥을 안 먹으려 할 때면, 할머니가 채희에게 자주 고구마 빼떼기죽을 해주시곤 했다. 물에 불려 푹 끓여 주었다. 채희는 빼떼기죽을 그리 좋아하는 편은 아니었다. 하지만 할머니와 함께 고구마를 말리고 만드는 과정을 어쩌면 소꿉놀이처럼 좋아했는지 모른다.

여느 때와 크게 다르지 않고 엇비슷했다. 채희도 이제는 점점 외할머니와 같이 지내는 것도 익숙하게 저물어가고 있었다. 평범하고도 무탈한 날들의 연속이었다. 채희는 그 날따라 식당 마감을 일찍 했다. 수고했다며 손님과 사장님께 팁도 두 번 받은 날이었다. 이런 날이 잘 없는데 퇴근길 발걸음이 가볍고 콧노래가 절로 나왔다. 읍내에서 할머니가 좋아하는 옛날 통닭 한 마리 튀겨 포장했다. 검은 봉지 속에서 닭 튀긴 기름 냄새가 풀풀 진동한다. 할머니가 좋아할 생각에 기대에 부풀어 잔뜩 흐뭇한 미소를 띠며 집으로 가벼운 발길을 빠르게 옮겼다.

"짜잔! 할머니, 내가 통닭 사 왔어."

할머니가 그렇게 좋아하는 옛날 통닭인데, 닭 날개를 줘도 제대로 먹지도 못한다. 입맛이 없다면서 먹는 것을 마다했다. 팁도 두 번씩이나 받아 참으로 운이 좋았건만, 되게 이상하고도 할머니의 고집스러운 날이었다.

이상하게도 다음날에는 할머니가 배를 부여잡고 복통을 호소한다. 채희는, 그냥 단순하게 식욕부진, 소화불량인 줄로만 알았다. 그것은 채희의 큰 착각과 오만으로 가득했다. 영원할 것 같던 늘 옆자리에 있을 것 같던 할머니가 췌장암 말기라고 한다. 손을 쓸 수도 없을 병에 걸리고 말았다.

'우리나라 사망률 원인 1위가 암인데, 그중에 췌장암이라니.' 인터넷에서는 췌장암을 소리 없는 암살자라고 불린다.

"다른 암들은 치료도 가능하다고 하던데, 왜 우리 할머니한테만 그래?"

세상이 원망스러운 채희는 세상이 떠나가라 하고 울며 소리친다.

'고집스러운 암 덩어리……. 왜 이렇게 사는 게 형편없어?'

간신히 잘살아 보려 나름의 노력을 했다. 어찌 세상이 또 이런 시련을 주는 건지, 신이 대체 있기는 한 거냐며 하늘을 향해 마구 소리치며 채희가 울었다. 어둠이 자욱하게 내렸는데 거기에 또 비까지 내린다. 채희의 한 서린 원망 섞인 소리와 뒤섞였다. 빗물인지 눈물인지 콧물인지도 모른 채 비가 내린다. 여느 하루와 다를 거 없이, 할머니의 암 진단 선고받았던 그 날이 저물었다. 다음 날이 밝아오지 않을 것만 같았는데, 그날은 그냥 그렇게 흘러 지나갔다.

췌장암 말기를 선고받고 난 후 할머니는 병원 생활하게 되었다. 폐, 복부, 뼈까지 전이된 상태라 물만 몇 모금 먹는 게 다였다. 숨 쉬는 것마저도 힘들어 콧줄을 끼고 산소포화기에 소변줄까지 하는 할머니의 모습이 너무 안쓰러웠다. 병원에서 할머니께 해줄 수 있는 최선이 강한 마약성 진통제밖에 없었다. 채희가 해줄 수 있는 게 없어서 답답했다. 눈코 뜰 새 없이 정신없는 병원 생활이었다.

고민하다가 할머니의 마지막 거처를 호스피스 병원으로 옮겼다. 그곳에서 할머니와 채희는 많은 말을 주고받진 못했다. 애달프고 말 없는 눈빛만 주고, 받을 뿐이었다. 채희가 당장 할 수 있는 것이라곤 그저 할머니 곁을 지키는 게 전부였다. 채희는 할머니 옆을 지킬 수 있음에 그저 감사했다. 만약 그러지 못했더라면, 두고두고 후회가 많이 남았을 것 같다. 채희는 할머니의 보호자로서 해야 할 역할에 씩씩하고 충실하게 다 해내려 안간힘 썼다.

그로부터 정확히 할머니는 채희의 곁을 16일간 함께했다. 병원에서 채희의 손을 잡은 채 잠들며 긴 소풍을 떠났다. 채희만 덩그러니 집에 남겨 둔 채 영영 돌아올 수 없는 곳으로 가버렸다. 할머니가 평소 집 앞마당 작은 정원을 가꾸면서 한 말이 있다. 죽으면 꼭 나비가 되어 세상을 날아다니고 싶다고 채희에게 줄곧 말해왔다. 채희는 할머니가 자유를 찾아 훨훨 날아다니며, 세상 곳곳을 누비고 다녔으면 바랬다.

장례 절차가 끝난 후, 제대로 먹지도 자지도 씻지도 못해서 바로 집으로 돌아왔다. 채희는 할머니와 살던 주택으로 향했다. 할머니가 병원에서 돌아가셔서 보름 만에 집에 돌아왔다. 돌아온 집 앞마당은 헝클어져 있었다. 집을 비어있던 기간을 마치 보여주기라도 하듯 잡초들이 뒤엉켜 무성했다. 채희는 집 안으로 들어가지 못하고 마당을 한참이나 하염없이 쳐다본다. 지난 시간 동안 할머니와 추억이 많이 스며

든 마당에서 채희가 미동도 없이 우두커니 서 있다. 그곳을 향한 채희의 눈에서는 눈물이 또 뚝뚝 쏟아진다. 눈물과 함께 외할머니와의 추억이 파노라마처럼 스쳐 닦여져 지나간다.

채희와 할머니의 추억이 많이 깃든 집 앞마당에는 자그마한 정원이 있다. 채희와 할머니는 붉은벽돌 담벼락에 둘러싸여 있는 정원을 아기자기하게 꾸민다. 등기 우편물을 건네 온 집배원 아저씨도 정원을 보고는 감탄하며 한마디 한다.

"할머니요, 어유 정원 보기 좋네."

택배 아저씨가 코팅 적색 면장갑 안의 엄지를 들어주곤 갈 길을 가곤 했다. 누가 되었든 간에 삼삼오오 모여, 정원에 쪼그려 앉아 열심히 조경에 힘쓴다. 할머니가 심어놓은 꽃과 각가지의 이름 모를 나무들이 무성했다. 비가 오는 날에는 물웅덩이들이 흥건하게 즐비했다. 장화를 신고 또 어느 날은 고무신을 신고도 물웅덩이를 채희는 꼭 밟고 지나갔다. 물웅덩이를 밟은 날이면, 귀신처럼 잽싸게 그 소리를 듣고는 김순자는 채희를 향해 소리친다.

"야 이 계집아이야, 비 맞아서 너도 정신이 어떻게 돼버렸어? 그러다 옷 버린다."

물웅덩이와 함께 온몸이 빗물에 젖고, 흙투성이가 되더라도 그래도 괜찮았다. 옷이 좀 더럽혀지더라도 채희가 마음속 깊이 해쳐놓은 상처들을 그렇게 할머니와 지내며 깨부쉈다. 비가 그치고 지렁이들이 기어나오더라도. 전혀 징그럽지 않았다. 햇볕이 따사로운 날에는 옆집 고양이가 와서 낮잠을 자고 가기도 했고, 그런 나른한 고양이 팔자가 부럽기도 했다. 가끔은 이름 모를 꽃이 마구 피어있기도 했다. 그 꽃 위로 스쳐 가는 나비를 만나곤 했다. 자연과 함께하는 정원에서 채희는 외할머니와 함께 그녀들만의 방식으로 상처를 치유하고 위로받았다.

그런 예뻤던 정원에 지금은 채희만이 덩그러니 혼자다. 아무리 둘러봐도 할머니는 채희의 곁에 없다. 미닫이문을 열고 안방을 들여다봐도 할머니가 없다. 정원에도 꽃이라곤 눈 씻고 찾아봐도 없고 시든 꽃이 전부다. 꽃들은 바닥을 향해 머리가 처박아져 있으며, 사람 손길이 닿지 않아 무성한 잡초들이 가득했다. 채희는 영원할 것 같던 인간의 삶도. 돈도. 모두 다 부질없는지를 느끼며 하루하루를 고단하게 버티고 있었다. 할머니가 돌아가신 후로 채희는 생전 안 먹던 술을 마구 찾기 시작했다. 술만 보면, 술 냄새가 배 절어 있던 아버지가 생각이 나 멀리하던 술이었다. 다른 사람이 권해도 손사래 치며, 술을 알레르기 취급하며 마다하던 술이었다. 채희가 그런 술을 찾는다. 하루가 멀다고 찾아댄다. 비가 오면, 비가 온다고 찾았고, 바람이 불면 바람이 불어 눈이 시리다고 찾았다. 셀 수 없을 정도로 부어라 마셔라 하곤 했다. 그렇게 날이면 날마다 고주망태가 되었다. 채희는 술에 취한 모습이 아버지와 흡사해 겹쳐 보인다. 제 몸 하나 못 가눌 정도로 술을 먹고는 휘청거리며 집을 향하는 어두운 골목길에 접어든다.

할머니 장례를 치르고, 채희는 할머니 꿈을 자주 꾸곤 했다. 꿈인지 현실인지 분간이 가지 않을 정도로 생생했다. 꿈에서 깨어날 때는 채희 얼굴에 선명하게 눈물 자국도 남아 있기도 했다. 몇 번이고 같은 꿈을 반복해서 꾸지만, 할머니가 뭐라 말 하나 해주지 않아 괴로웠다. 그래서 날이면 날마다 채희는 술을 더 찾기 시작했다.

어두운 달빛이 내려앉은 밤이었다. 해가 저물어 여간 날씨가 쌀쌀한 게 아니었다. 간신히 마을 가로등 불빛에 의지해 채희는 걸어간다. 채희에게는 다소 익숙한 골목길에서 낯선 남자 두 명이 채희 뒤를 따라 쫓아온다.

"저기요, 아가씨. 괜찮아?"

"아이고 술을 많이 마셨네. 어쩔 수 없이 우리가 데려다줘야겠네."

채희는 낯선 남자 두 명에게 어깨동무로 엉켜 더 어둡고 으슥한 폐가 근처로 향하다가 마을에서 운영하는 순찰대 어르신들을 만난다.

"저거 저거 순자 손녀 채희 아니야?"

"어머나, 맞네, 맞아. 야 이 자식들아."

오밤중에 마을 어르신들과 낯선 남자 두 명의 추격전이 시작되었다. 20년 이상 된 노후 택지의 재건축, 재개발 규제로 마을을 찾는 낯선 외지인들의 방문이 잦아지고 있다. 그래서 마을회관에서 주민 회의를 거쳐 순찰대가 운영된 지 보름도 채 되지 않은 무렵이다. 채희는 그런 몹쓸 일에 노출되었는지도 모른 채 정신도 몸도 가누지 못했다. 천만다행으로 순찰대 어르신들의 도움을 받아, 귀가 하게 된다.

아침에 눈을 뜨니 황태 콩나물국과 갓 지은 밥 냄새로 술에 절어 있는 채희를 깨운다. 어젯밤 꿈에선 본 할머니가 해장국을 끓인 줄 알고 착각할 뻔했다.

옆집 아주머니와 마을 이장님의 잔소리로 한차례 휘둘러 맞곤 그다음 간신히 해장할 수 있었다. 그 일이 있고 난 뒤로 단박에 채희는 술을 끊었다. 집에 나뒹구는 술병과 맥주캔들을 죄다 버리며 다짐한다.

'술이 술을 불러 내 인생 까딱하면 망하겠다. 정신 차리자, 윤채희.'

채희는 잠깐 잊고 살았다. 아버지 덕에 술로 절여졌던 지난 어린 시절, 과거를 말이다. 옆집 아주머니가 채희의 해장국을 끓여주러 집에 오셨는데, 할머니 손길이 끊어진 후 엉망이 된 집안 살림살이 정리를 도와주신다. 이어 옷장에서는 죽은 할머니의 옷들을 골라내며, 이런 것들은 얼른 태워 보내줘야 한다고 옷장에서 꺼내기 시작한다. 할머니가 쓰는 좌식 화장대 서랍장에서 여러 가지 것들이 쏟아져 나온다. 옆집 아주머니가 유품 정리하다가 발견했다고 채희에게 곧장 무언가를 들이민다. 그것은 할머니가 채희에게 적은 편지 한 통과 통장, 도장이었다.

채희는 할머니가 돌아가시고도 한참을 유품 정리하지 못했다. 할머니가 세상을 떠난 것을 실감하지 못했다. 실감하지 못한 채 슬픔과 술 속에 허우적거렸다. 그래서 한참 후에야 할머니의 마지막 유언을 발견할 수 있었다. 편지를 보고서야 비로소 채희는 정신 차렸다. 그동안 자신에게 잘못 주문을 걸었는지 깨달았다. 그간 채희는 자신의 착각 속에 살았었다. 그동안의 전경들이 스쳐 지나갔다. 집을 떠나 외할머니댁으로 들어오던 날이었다. 그날 밤의 대화들이 다시 떠올랐다.

'아가, 울지마라. 울면 우는 일만 생긴단다. 우리 이제는 웃으며 웃

는 일만 생기게 잘살아 보자꾸나.'

뒷말은 기억 못한 채. 채희는 할머니 말씀 앞의 얘기만 듣고, 그간 자신을 궁지에 몰아쳐 넣었다. 울 자격도 없는 녀석, 울 여력과 시간도 없다며 자신에게 나무라 했다. 그러지 않아도 됐는데 말이다.

큰 깨달음을 얻은 이후 채희는 정상적인 삶으로 돌아와 여느 20대처럼 지내며 살아간다. 할머니가 한동안 꿈에서 안 나오다가 오랜만에 곱게 차려입고 나왔다. 금방이라도 어디에 가야 할 사람처럼 말이다.

"할머니가 우리 채희 대학 가는 거 보고 싶다."

잠에서 깨고 나서도 이게 꿈인지 실제로 들은 말인지 분간이 가지 않을 정도로 생생했다. 마치 방금이라도 살아있는 사람처럼 말이다. 꿈에서 깨어나고도 눈을 끔벅거리며 천장과의 눈싸움으로 시작하여 몇 초간 방안에서 정적이 흘렀다. 가만 생각해보니 '나 지금 몇 살이지?' 속으로 채희는 나이를 세기 시작했다. 할머니를 보내고 나서 허송세월 술로 보내곤 했었다. 천년만년 이십 대인 줄 아는 착각의 늪 속에 빠져 채희는 나이를 까먹고 살았다. 나이도 잊어버린 채 그렇게 할머니를 보내고 허한 마음을 달래며 낮에는 일만 좇으며 밤에는 술로 시간을 보냈다.

한 번씩 꿈에서 할머니가 등장한 이후엔 며칠 깊은 생각에 잠기곤 했는데, 이번에는 달랐다. 채희는 잠시 사색에 잠기다가, 정신을 차리곤 공부해서 대학을 가보기로 마음을 먹었다. 돈을 번다는 맹목적인 목적으로 일에 치여 돈에 쫓겨 그간 너무 앞만 보고 살아왔다. 20대인 내가 무엇을 하고 싶은지, 보살피지 못한 채로 달려갔다. 할머니가 남겨주신 통장의 돈으로 학원을 등록해 수능을 다시 보기로 마음먹었다.

'웃으면 웃을수록 웃는 일만 생겨나게 재미나게 살아볼게, 할머니 나 잘 지켜봐 줘.'

반려의 소리

최민희

최민희

1987년부터 서울특별시 강서구 화곡동에 살고 있다. 분위기 좋은 브런치 카페보다 개털 날리는 애견 카페를 사랑한다. 스트레스는 치킨과 산책으로 푸는 편이다. 강아지만 보면 눈이 돌아가고, 심장이 벌렁거리는 불치병을 앓고 있다. '개 같은'이라는 수식어를 세상에서 가장 혐오한다. 운 좋게 다시 태어날 기회가 생긴다면 주저 없이 개로 태어나고 싶다.

〈1〉

문을 열자마자 딸랑- 청아한 종소리가 들려왔다. 한쪽 벽면이 유리로 되어있는 식당 안으로 쏟아지는 햇살과 테이블 위로 정갈하게 세팅된 식기들. 그림자가 멋지게 내려앉은 액자와 파란색 타일 바닥이 차례로 눈에 들어왔다. 마치 유럽에 있는 식당에 서 있는 것 같은 착각에 사로잡혔다. 분위기에 압도당한 내 앞으로 검은색 앞치마를 두른 종업원이 다가왔다. 나는 반사적으로 코트 주머니에 오른손을 찔러 넣었다.

“혹시 예약하셨을까요?”

“아, 네. 2시에 4명 예약되어 있을 텐데…….”

“자리로 안내해 드리겠습니다.”

혼자라면 절대 선택하지 않았을 식당 정중앙 테이블이었다. 가장 상석으로 안내하는 종업원의 손이 민망하지 않도록 순순히 자리에 앉았다.

"겉옷 보관해 드릴까요?"

"아, 아니요. 그냥 입고 있을게요."

"주문 먼저 하시겠어요?"

"일행이 금방 도착할 것 같아서, 오면 같이 할게요."

주변을 둘러보니 겉옷을 입고 있는 사람은 내가 유일했다. 4인 테이블에 앉아 주머니에 넣은 손만 꼼지락거렸다. 화덕에서 갓 구워져 나온 피자 냄새에도 이상하게 배가 고프지 않았다. 종업원의 관심이 다른 테이블로 이동한 것을 확인하고, 가장 구석진 자리로 옮겨 앉았다. 지금의 나에겐 구석이 상석이다.

앉은 지 20분 만에 나머지 자리가 전부 채워졌다. 테이블 주변으로 소리가 채워질수록 나는 겉돌기 시작했다. 청정한 1급수 위에 어쩌다 실수로 툭- 떨어진 폐유 같다. 한참을 우두커니 앉아 쪽수만 채우고 있던 허수아비에게 질문이 던져졌다.

"요즘도 병원 다녀?"

"응. 3개월에 한 번씩 검사하고, MRI도 찍고 그래."

"MRI 많이 찍으면 더 나빠지는 거 아니야?"

"그런가? 그래도 병원에서 하라면 어쩔 수 없지, 뭐."

"진짜 우리 나이 되면 자궁 검사는 필수로 해야 해. 너 다니는 병원은 좋아?"

"글쎄, 나쁘진 않은 것 같아."

3년 전 진단 받은 자궁내막암은 맛있는 안줏거리가 되어 차려졌다.

"일은 계속 쉬고 있는 거야? 수술하고 쭉 쉬지 않았나?"

"응, 너무 오래 쉬어서 출근 안 해도 되는 일 찾는 중이야."

"그래, 잘 찾아보면 자리 하나쯤은 있겠지."

내 파란만장한 사연이 7만 원짜리 네일아트보다 따분해졌다. 벗을 타이밍을 놓친 겉옷 때문인지 등줄기로 땀이 주르륵 흘러내렸다. 물소 젖으로 만든 치즈와 루콜라를 곁들인 샐러드, 나폴리식 오징어튀김, 장작 화덕에 구운 마르게리타피자에 찬사가 더해지는 동안에도 나는 주머니에서 손을 빼지 못했다.

"근데 요즘은 얼마 정도 모아야 결혼할 수 있어? 요즘은 집도 남자 여자 같이하는 게 추세라며?"

결혼 적령기는 맞지만, 암에 걸린 백수가 끼어들기엔 송구스러운 대화가 이어졌다.

"넌 결혼할 때 얼마 정도 들었어?"

난데없는 질문에 내가 그 대단한 결혼이라는 걸 했었다는 사실을 깨달았다. 평생 한 번도 경험해 본 적 없는 일처럼 새삼스러웠다.

"내가 모은 거 2천에 부모님이 천만 원 정도 보태 줬어. 아, 예단도 부모님이 해줬던 것 같아."

"그게 벌써 10년 전이지? 아니다, 10년 넘었나? 오빠가 너보다 10살이나 많았으니까 그 정도만 해가도 충분했지. 오빠랑은 연락 안 해?"

"응, 전혀."

"나도 너처럼 멋모를 때 가버릴 걸 그랬어. 나이 들면 눈만 높아져

서 큰일이라니까."

"미안한데 나 잠깐 화장실 좀……."

적의 공격을 피해 도망칠 수 있는 곳은 화장실뿐이었다. 급하게 화장실 문을 걸어 잠그고, 거울에 비친 얼굴을 쳐다봤다. 바짝 말라비틀어진 빨래 같다. 쌍꺼풀이 얼마나 또렷한지, 콧대가 얼마나 높은지, 입술이 얼마나 도톰한지는 아무짝에도 쓸모없는 나이가 되었다. 거울 속에 비친 모습이 더할 나위 없이 완벽한 무채색이면 좋겠다.

화장실에서 나와 조용히 식당을 빠져나왔다. 그나마 안전한 집으로 돌아가 패배감에 허덕일 일만 남았다. 세상과의 완벽한 단절을 위해서는 이어폰이 간절했다. 한참을 걷다 보니 「3달에 10kg 책임감량」, 「OPEN 이벤트! 헬스장 파격 할인」이라고 적힌 전단지가 양손 가득 쌓였다. 어쩌다 어깨라도 부딪히면 굽신굽신 고개를 조아렸다. 관리하지 않은 비루한 몸뚱이가 한없이 죄송스러워졌다. 쏟아져 나오는 사람들 사이, 혼자만 역방향으로 걷는 것 같은 기분이 들었다. 등을 지고 걷는 건 나일까, 그들일까. 핸드폰 전화번호 목록에서 하는 보물찾기도 그만두기로 했다. 집에서 가까운 편의점에 들러 보물 대신 500mL 캔맥주 하나를 집어 들었다.

"얼마예요?"

한참이 지나도 돌아오는 대답이 없었다.

"저, 이거 얼마예요?"

"화면 안 보여요? 화면에 적혀 있잖아요."

결제 비밀번호를 채 누르기도 전에 눈앞이 흐려졌다. 가격은 끝내 알아차리지 못했다. 얼음장 같은 맥주를 주머니에 대충 쑤셔 넣고, 도망치듯 편의점을 빠져나왔다. 만약 건널목이 있었다면 턱을 넘어 몇 발짝 앞으로 걸어갔을지도 모른다.

무언가에 쫓기듯 도착한 공원은 테니스공 소리로 채워졌다. 몇 년째 주머니에 넣고 다니는 분신 같은 물건이었다. 한참 우레탄 바닥을 때리던 테니스공 냄새를 맡았다.

"아, 꼬순내."

냄새를 안주 삼아 치이익- 맥주 한 모금을 들이키자, 맥주 한 모금만큼의 눈물이 흘러내렸다. 마치 몸속 수분의 양이 정해져 있는 것만 같았다. 사람답게 살기 위한 발버둥이 시커먼 재가 되어 공중으로 흩날렸다. 내 인생은 수저 아래 깔린 티슈 같다. 기분에 따라, 상황에 따라 깔리기도 하고, 안 깔리기도 하는 무쓸모. 가족이 외출한 집안은 음소거 모드가 되어 적막만 가득했다. 집을 벗어나도 상황은 크게 달라지지 않았다. 재잘재잘 쏟아지는 사람들의 소리가 식도 어딘가에 수시로 얹혔다. 미치도록 소속되고 싶은 마음과 혼자 있고 싶은 날들이 자주 충돌했다. 익숙한 한탄이 이어지고, 벤치에 팽개쳐둔 핸드폰이 요란하게 울려대기 시작했다.

「집에 무사히 도착! 오늘 만나서 진짜 반가웠어.」

「우리 회사 돌싱 부장이랑 소개팅 생각 있으면 꼭 말해주기다? 완전 금수저야.」

소개팅 시장에서 아픈 이혼녀의 위치는 생각보다 처참했다. 줄지어 도착한 단체 사진 속에 나는 아지랑이처럼 증발하고 있었다.

현관문을 열고 들어서자마자 센서 등이 켜졌다. 칠흑 같은 어둠 너머로 타닥타닥 소리가 들려왔다. 몇 발짝 떨어진 곳에서 나를 올려다 보고 있는 강아지와 눈이 마주쳤다. 나는 신발도 벗지 않은 채로 바닥에 주저앉고 말았다. 그리고 있는 힘껏 울부짖었다. 슬픔과 원통함이 뒤섞인 울음이 집안 곳곳에 빼곡히 채워졌다.

〈2〉

방에서 들리는 소리에 눈을 떴다. 몇 년째 이어지는 이상한 소리의 출처는 책장 두 번째 칸이었다. 3년 전 죽은 강아지의 유골함이 있는 그곳에서 들려오는 웅얼웅얼 소리. 침대에서 일어나 유골함에 귀를 가져갔다. 귀를 대자마자 이내 소리가 멈췄다. 고막을 울리던 소리는 사라지고, 도자기의 냉랭한 기운만 귓바퀴에 맴돌았다. 분명 그곳에서 들린 소리가 확실했다. 모든 신경을 곤두세워봤지만, 소리는 완전히 종적을 감춰버린 뒤였다. 소리가 사라지자마자 몸이 간지럽기 시작했다. 팔 바깥쪽에서 시작한 간지러움은 몇 달 만에 팔 전체로 퍼졌다. 손톱으로 긁을 때마다 서걱서걱 들리는 소리는 점점 거칠고, 촘촘해졌다. 팔을 형광등 불빛에 비춰보니 흰색 털 몇 가닥이 붙어있었다.

불편한 따사로움을 느끼며 거실로 나가 강아지와 눈을 마주쳤다. 퉁퉁 부은 눈을 부릅뜨고 조금 더 자세히 바라봤다. 검은색 단추 같은 두 눈과 고동색 코. 귀와 눈 주변만 옅은 황토색인 흰색 강아지의 이름은 무궁화, 나이는 7살 정도로 추정했다. 무궁화는 얼마 전까지만 해도 유기견 보호소 붙박이로 통했다. 입양 명단에서 밀려나 1년 넘게 보호소를 지켰다. 단순히 운이 없었다고 하기엔 너무 긴 시간이었다. 알게 모르게 그늘진 얼굴과 애교 없이 무뚝뚝한 성격이 걸림돌이었을까. 나는 뭔가에 홀린 듯 임시 보호 절차를 밟았고, 무궁화의 3개월을 책임지기로 약속했다. 무궁화는 집에 있는 시간 대부분을 침대 위에서 보냈다. 현관문과 방문을 열면 가장 먼저 보이는 자리에 엎드려 나를 관찰했다. 그리고 나에게는 알 수 없는 안도감이 찾아왔다.

무궁화 이전에 세 마리의 개가 더 있었다. 비비, 헤일리, 꽁치. 짧게는 일주일, 길게는 5개월 동안 함께 지낸 개들이었다. 개를 키우지 않겠다는 다짐은 수시로 무너졌고, 개들과의 이별은 항상 괴로웠다. 개를 보내고 얼마 지나지 않아 또 다른 개를 데려왔다. 카드 돌려막기 같은 임시 보호가 계속됐다. 입양을 포기한 나는 수많은 밤을 죄책감으로 지새웠다. 유골함에서 들리는 웅얼웅얼 소리만이 나를 위로했다. 눈치 없는 개들은 앞다투어 곁을 내주었고, 나는 최선을 다해 외면해야 했다. 입양이라는 행운을 선사하기에 나는 너무 하찮고, 보잘것없으니까. 버림받은 개들에게는 번듯한 직업과 창창한 미래가 보장된 주인이 더 어울렸다.

거실을 지나 주방으로 가는 찰나에도 뜨거운 시선이 느껴졌다. 물 한 컵을 전부 비울 때까지 팽팽한 눈싸움이 이어졌다. 뾰족한 턱과 작은 얼굴에 비해 푸근한 몸매가 나와 묘하게 닮았다. 어떤 일에도 호들갑을 떨지 않고, 아무에게나 쉽게 마음을 열지 않는 것도 비슷했다. 무궁화는 간밤의 좌절감을 곱씹고 있던 나를 향해 입맛을 쩝쩝 다시기 시작했다.

"너 그렇게 살찌면 입양 못 간다? 뚱뚱하면 사람들이 싫어해."

주방 찬장에 숨겨둔 간식 통을 꺼내 들었다. 흰색 막대에 닭가슴살이 가장 푸짐하게 붙어있는 간식을 찾기 위해 손을 바쁘게 움직였다.

"왕건이 찾았다! 마음에 들어?"

무궁화의 밥때는 게으른 동거인 덕분에 항상 늦어졌다. 괜히 미안한 마음에 빈 밥그릇에 사료를 넘치게 채웠다. 그러고는 양푼에 밥과 고추장, 반찬 몇 개를 때려 넣고 비볐다. 양푼을 옆구리에 끼고, 아작아작 씹는 소리를 지나 방으로 돌아왔다. 덜 비벼진 밥을 씹으며, 유골함을 가리기 위해 달아놓은 천을 걷어 올렸다.

5단으로 이루어진 책장의 한 칸은 가로 65cm, 세로 40cm 남짓 되는 공간이었다. 허리를 굽히거나 까치발을 들지 않아도 보이는 두 번째 칸이 납골당으로 꾸미기엔 적합했다. 손때 가득한 물건들 사이로 환하게 웃고 있는 강아지 한 마리. 납골당의 주인이자, 유골함에 갇혀있는 동후니였다. 아침마다 테니스공을 가지고 놀던 동후니를 모르는 사람은 없었다. 공을 입으로 받아내는 것이 장기였고, 최대 수혜자는 나였다. 영리한 강아지에 영리한 주인, 예쁜 강아지에 예쁜 주인, 건강한 강아지에 건강한 주인. 나에게 동후니의 수식어가 고스란히 따라붙었다.

동후니와의 이별은 갑작스러웠다. 평범했던 어느 날, 고구마 하나를 해치운 동후니는 젖은 빨래로 변했다. 축축한 상태로 수술실에 들어갔다가 바짝 말라 돌아왔다. 원인은 급성 당뇨였다. 좁은 공간에 누워 숨을 헐떡이던 모습과 초점을 잃은 눈동자, 유리 벽에 맺혀있던 입김까지 생생하게 떠올랐다. 아픈 기억은 시간이 지날수록 또렷해졌다. 매일 불을 지르고, 소금을 뿌리고, 망치로 두드려도 선명해질 뿐이었다.

오늘이 내일인지, 내일이 오늘인지 경계가 모호한 시간을 버티기 위해서는 유골함이 절실했다. 투명한 물 위에 기름 몇 방울을 톡- 떨어뜨린 것 같은 오묘한 무늬. 분홍색 도자기 뚜껑을 열면 황토색 뚜껑 하나가 더 덮여있다. 나는 이 작은 존재를 지키기 위해 긴 세월을 고군분투했다. 유골함은 나에게는 누울 자리, 엄마에게는 불운의 상징이었다. 의무를 다한 강아지는 찬밥 신세로 전락했다. 동후니의 영혼만 쏙 빠진 집안에서 나는 수시로 분노했다. 머리 위로 천둥 번개가 내리꽂히고, 걸을 때마다 뿌지직뿌지직 소리가 들려오는 것 같았다.

엄마는 시도 때도 없이 가슴을 내리쳤다. 당신의 딸이 사람 구실을 하지 못하는 이유를 꾸역꾸역 유골함에서 찾아냈다. 아빠의 외출도 유골을 뿌릴만한 장소 물색을 위한 핑계 같았다. 아무도 찾지 않는 대나무숲이 있다면 외치고 싶었다. 암에 걸린 건 유골함 때문이 아니라 아픈 여자친구를 외면한 남자 때문이고, 일을 그만둔 건 아픈 직원에게 일부러 과한 업무를 떠넘긴 회사 때문이라고. 남자에게 버림받은 딸을, 사회에서 낙오된 딸을, 암에 걸린 딸을, 유일한 가족을 잃은 딸을 방치한 당신들에게도 책임은 있는 거라고 말이다. 언제부턴가 두 발로 걷는 인간이 개보다 개처럼 느껴졌다. 집안에서 오가는 모든 대화는 도돌이표였다.

"도대체 언제 보낼 거야? 동후니도 이제 좋은 데로 가야지."

나는 엄마의 잔소리가 시작될 때마다 방문을 걸어 잠갔다. 그러고는 손을 뻗어 방바닥 곳곳을 더듬었다. 동후니는 겨울에는 가장 따뜻하고, 여름에는 가장 차가운 곳을 기막히게 찾아냈다. 나에게도 동물적인 감각이 있었다면 누울 자리 하나쯤은 마련할 수 있었을까.

〈3〉

왈칵 쏟아지듯 거실로 나와 무궁화 옆에 누웠다. 무궁화는 거대한 덩치를 피해 침대 모서리에 겨우 궁둥이만 붙이고 앉아 있었다. 나는 비릿한 닭가슴살 냄새가 진동하는 침대 위에서 협상을 시도했다.

"오늘 딱 하루만 집에서 보면 안 되겠니? 안 된다고? 알았어."

무궁화는 밖에서만 볼일을 보는 성가신 배변을 고집했다. 하지만 하릴없는 백수의 일과 중 가장 사명감이 느껴지는 일이기도 했다. 꽃자수가 드문드문 박혀있는 옷을 입히고, 줄을 매는 동안에도 시선은 줄곧 바닥을 향해있다. 손이 닿을 때마다 한없이 연약한 몸뚱이가 사시나무처럼 떨렸다.

본격적인 산책이 시작되자 꼬리가 슬쩍 올라갔다. 캔 굴러가는 소리와 이불 터는 소리, 택배 던지는 소리, 기계 돌아가는 소리에 바짝 엎드렸다가 걷기를 반복했다. 무궁화가 반응하는 온갖 소리들이 귓바퀴를 타고 고막을 울렸다. 그중 가장 견디기 힘든 소리는 따로 있었다.

"어머, 너 너무 귀엽다."

사람들은 산책 중인 무궁화에게 친절한 목소리로 말을 걸어왔다. 단체로 개와 대화하는 초능력이라도 배우러 다니는 걸까. 꼬마에서부터 나이 지긋한 어르신까지 주인 있는 개에게 무한한 다정을 베풀었다. 나는 덤으로 다정을 공유했다. 원치 않는 다정함이 버거워질 무렵 공원에 도착했다. 친절한 주인 코스프레를 잠시 멈추기로 했다. 공원 입구와 가장 가까운 의자에 자리를 잡고 앉았다. 그리고 공원을 찾는 사람들을 바라봤다. 늙는다는 것이 쓸쓸한 공원 문턱을 어슬렁 넘는 것이라면, 나는 이미 100살 노인인 것 같다. 얼마나 지났을까, 죽치고 앉아 있는 나를 향해 불청객이 다가왔다.

"얘는 이름이 뭐예요?"

"무궁화요."

"이름이 특이하네요. 강아지는 주인 닮는다던데 진짜 예쁘게 생겼어요. 근처 호수 공원 아시죠? 강아지 모임 한번 나오세요. 평일에는 오후 8시에 모이고, 주말에는 오후 2시부터 모여요. 무궁화처럼 작은 개들도 많이 와요."

무궁화는 고개를 들고, 슬며시 내 눈치를 살폈다.

"얘는 저희 개가 아니고, 그냥 잠깐 돌봐주는 거라 곧 갈 거예요."

모임 참여에 대한 확답을 받아내지 못한 여자가 아쉬운 발걸음을 돌렸다. 그리고 무궁화와 다시 눈이 마주쳤다.

"뭐!"

저녁 9시가 되면 공원엔 파자마 족들이 즐비했다. 처음 보는 강아지를 만지고 싶을 때 필수 준비물은 강아지다. 강아지가 있으면 낯선 강아지를 만질 수 있는 합법적인 자격이 부여되기 때문이다. 파자마에 겉옷을 대충 걸친 사람들의 강아지 물색이 시작되고, 무궁화는 나와의 보폭을 최대로 좁혔다. 소변을 보는 중에도 수시로 눈을 마주쳤다. 우리는 낯선 사람의 손길과 대화를 피하고자 뭉친, 한 팀 같았다.

평온한 산책이 이어지던 중, 거친 숨을 내뱉으며 시베리아허스키 한 마리가 다가왔다. 터벅터벅 커지는 발소리가 위협적으로 느껴졌다. 다행히 무궁화는 평정심을 유지하고 있었다.

“얘는 처음 보는 것 같네요. 종류가 뭐예요?”

“섞인 거 같은데, 뭐가 섞였는지는 잘 모르겠어요.”

“섞인 개들은 빨리 죽는다던데, 건강관리 잘 해주셔야겠어요.”

무례한 말을 쏟아내는 주인과 시베리아허스키의 위풍당당함에 나도 모르게 위축됐다. 무궁화도 같은 기분을 느꼈는지, 코를 킁킁대는 시베리아허스키에게 온몸을 내어주었다. 체념한 듯한 텅 빈 눈동자가 한없이 가련해 보였다. 별안간 기형적으로 들려있는 발톱이 눈에 들어왔다. 버림받은 개들의 생채기. 구멍 뚫린 뜬 장에서의 생활은 유기견들의 숙명이다. 주홍 글씨처럼 새겨진 상처는 아무리 때를 빼고, 광을 내도 사라지지 않을 것 같았다.

<유기견 입양 공고>

▶ 무궁화 / 7세 추정 공주님 (중성화 ○) / 7kg

- 살쪄서 다이어트 필요
- 건강 상태 양호, 접종 완료
- 아직 산책이 내키지 않아요. 겁이 많고, 낯선 사람을 무서워해요.
- 임시 보호는 홈페이지에서 신청할 수 있고, 최소 3개월입니다.

사막여우처럼 쫑긋한 귀가 매력적인 무궁화예요.

1년 넘게 쉼터에서 엄마 아빠를 기다리고 있어요.

아직 집밥 한번 먹어보지 못한 무궁화를 도와주세요.

구조의 끝은 입양입니다. 아이들의 시간은 빨리 흘러요.

사회성 평가를 위해 임시 보호라도 부탁드려요.

한 달 5만 원 지원해 주실 대모님도 급구합니다!

〈4〉

애견 카페에 들어서자 꼿꼿하던 꼬리에 풀이 죽었다. 카페에 상주하는 시바, 골든레트리버, 진도, 푸들, 웰시코기, 몰티즈 두 마리가 맹렬하게 짖기 시작했다. 항상 일정한 거리를 유지하던 무궁화가 내 품으로 파고들었다. 극도로 흥분한 진돗개가 뾰족한 송곳니를 드러낼수록 더 깊숙이 파고들었다.

“잠깐 냄새 맡게 해주신 다음에 바닥에 내려주세요.”

냄새 맡기에 성공한 개들은 각자의 자리로 돌아갔다. 무궁화는 개들이 사라진 후에도 쉽사리 안정을 찾지 못했다. 여전히 심장이 빠르게 뛰었고, 온몸은 돌덩이처럼 딱딱하게 굳어 있었다. 그리고 나는 이유를 알 수 없는 동질감에 사로잡혔다.

“괜찮아. 누가 괴롭히면 언니가 혼내줄게.”

고개를 돌려 나를 올려다보는 눈에 고마움이 가득 담겨 있었다.

바스락 소리에 정글의 평화가 순식간에 깨졌다. 노곤함에 빠져있던 개들이 간식 든 사나이 주변으로 빠르게 모여들었다. 간식은 앉으라는 명령에 반응한 영리한 개에게만 주어졌다. 무궁화는 서로 앉겠다며 엉덩이를 들썩이는 무리에서 조금 떨어진 곳에 자리를 잡았다. 간식을 사수하기 위한 비굴함은 아닌 것 같았다.

"얘 간식 줘도 돼요?"

"네, 간식 좋아해요."

무궁화는 코앞까지 다가온 간식을 보더니 킁킁- 이내 고개를 돌려 버렸다. 평소와는 전혀 다른 모습이었다. 콧기름 묻은 간식이 내 손에 쥐어졌다. 무궁화는 간식 든 사나이에게 등을 돌려 나를 향해 앉았다. 별다른 액션을 보이지 않자, 조금 더 바짝 기어들었다. 그러더니 장난감을 사달라고 떼쓰는 아이처럼 앞발을 구르기 시작했다. 간식을 건네자마자 기다렸다는 듯 넙죽 받아먹었다. 꼭꼭 씹어 야무지게 먹어 치웠다.

이후에도 간식 든 사나이들은 수시로 출몰했고, 무궁화는 단 한 번도 동요하지 않았다. 내가 앉아 있는 테이블 근처에서 졸다가, 잠깐 일어서기를 반복할 뿐이었다. 의젓하게 앉아 귀를 쫑긋 세우고 있는 모습이 마치 호위무사 같았다. 곁을 내주기로 마음먹은 동물에겐 후진이 없다. 개들은 한번 준 마음은 무슨 일이 있어도 회수하지 않는다. 아픈 애인을 버리고, 얻을 게 없어진 친구를 가차 없이 내치는 건 오직 인간뿐이다.

〈5〉

무궁화와의 유대감은 마일리지처럼 차곡차곡 쌓였다. 새로운 산책 코스를 찾다가 동네 구석구석 아지트가 생겼고, 간직하고 싶은 추억도 늘어났다. 온 세상이 꽃동산으로 변해가던 무렵, 핸드폰에 문자 한 통이 도착했다.

「임보자 님 안녕하세요. 임시 보호 기간이 얼마 남지 않았어요. 슬슬 입양 홍보를 시작해야 해서 연락드려요.」

견딜 수 없는 괴로움은 항상 물음표에서부터 시작됐다.

「혹시 입양 의사가 있으실까요?」

사방이 파도로 철썩이는 섬에 혼자 서있는 것 같은 기분이 들었다. 점점 아득해지는 정신을 붙들고, 겨우 답장을 써 내려 갔다.

「입양 홍보는 바로 시작하시나요?」

「입양 의사가 없다고 하시면 임보 끝나기 전에 시작해야 할 것 같아요. 국내 입양 문의가 없어서 해외 입양도 고려하고 있어요.」

「가족들과 의논해 보고 연락드릴게요.」

사실 입양은 나만 결정하면 되는 문제였다. 개를 데려오고, 보내는 건 집에 있는 시간이 가장 많은 내 소관이었다. 아빠 엄마는 초연했다. 내가 입양을 포기할 거라는 믿음은 절대불변인 것 같았다. 고민의 날들이 이어지는 동안, 무궁화의 발소리가 집안 가득 채워졌다. 타닥타닥 소리에 가족의 웃음소리가 따라붙었다. 낡은 침대가 전부였던 무궁화의 세상이 소파로, 침대로, 옷방으로 조심스럽게 영역을 넓혀갔다. 사람 그림자에도 도망치던 겁쟁이는 사라지고, 밖에 나가자며 졸졸 따라다니는 껌딱지만 남았다.

개들의 시간은 뛰어간다. 건강한 개들에게 남은 건 아플 일뿐이다. 개를 키운다는 것은 개가 아플 때부터 시작된다. 개를 키운 경험은 동후니 하나로 충분했다. 가족 중 누구도 입양에 관한 이야기를 꺼내는 사람은 없었다. 그저 작별을 예고하는 넋두리만 가득했다. 우리는 나름의 방식으로 또 한 번의 이별을 준비하고 있었다.

<유기견 입양 공고>

○ 무궁화 / 7세 추정 공주님 (중성화 ○) / 7kg

- 건강 상태 양호, 접종 완료
- 낯선 사람을 무서워하지만, 적응력이 빨라요.
- 산책을 좋아하고, 굉장히 얌전해요.

사막여우처럼 쫑긋한 귀가 매력적인 무궁화예요.

실외 배변을 선호하지만, 실내에서는 100% 패드에 배변해요.

산책을 정말 좋아해서 하루 2시간도 문제없어요.

먹는 것을 좋아해서 뭐든 맛있게 잘 먹어요.

하울링, 짖음, 입질, 분리불안 전혀 없는 완벽한 집 강아지입니다.

낯선 사람에 대한 경계심이 있지만

천천히 다가가면 마음을 열어주는 사랑스러운 아이예요.

우리 무궁화의 영원한 가족이 되어주세요.

〈6〉

임시 보호 마지막 날 아침이 밝았다. 시간은 빠르지도, 느리지도 않게 적당히 흘러갔다. 옷장 문을 열고, 안을 살폈다. 제 기능을 잃은 가방들 사이로 검정 백팩 하나가 눈에 들어왔다. 19인치 노트북이 들어갈 정도로 넉넉한 크기에 무게도 적당했다. 택배 상자에 딸려 온 자투리 뽁뽁이를 모아 가방 안에 쑤셔 넣었다. 주먹으로 툭툭 쳐보니 폭신함이 느껴졌다. 모든 준비를 끝내고, 책상 위에 꺼내둔 유골함을 들어 올렸다. 서늘한 기운이 손바닥부터 시작해서 온몸으로 퍼졌다. 최대한 조심스럽게 가방 안에 넣었다. 지퍼까지 닫으니 완벽하게 평범한 가방의 모습이었다. 가방을 앞으로 메고, 몸을 이리저리 움직였다. 거울에 비친 모습이 마치 아이를 잉태한 산모 같았다.

무궁화는 평소와 다른 산책 준비에 공벌레처럼 몸을 웅크렸다. 빨리 나가자며 거실을 빙글빙글 돌던 모습은 사라지고, 침대 위 망부석이 되었다. 줄을 사이에 둔 팽팽한 접전 끝에 우리는 마지막 산책길에 나섰다.

차로 30분 정도 떨어져 있는 큰아버지 댁은 동후니와 자주 놀던 곳이었다. 할아버지가 돌아가시면서 자연스럽게 큰아버지 댁이 됐다. 유일하게 돈으로 바꾸지 않은 할아버지의 유산이었다. 매캐한 빌딩 숲이 아닌 진짜 숲이 있는 곳. 할아버지가 일군 뒷산은 사계절이 새로웠다. 봄에는 오색 꽃나무가 찬란하고, 여름이면 나무마다 주렁주렁 열매가 달렸다. 가을에 들리는 바스락 소리와 겨울에 들리는 뽀드득 소리에 축복 같은 사색이 가능했다.

갑자기 흙보다 모래를 밟고 싶어졌다. 부산 해운대 모래사장이면 좋겠다. 씨앗 호떡과 냉채 족발을 포장해서 무궁화와 나눠 먹으면 좋겠다. 용궁사 벤치 어딘가에 걸터앉아 벅찬 풍경을 바라보고, 같이 사진을 찍으면 좋겠다. 정신없이 돌아다니다 보면 오늘을 무사히 넘길 수 있지 않을까. 꿈만 같은 상상을 하며 자동차 창문을 전부 열었다. 보조석에 웅크리고 있던 무궁화의 털이 바람에 나부꼈다. 키 작은 건물을 지날 때마다 쏟아지는 햇빛에 반사된 털이 반짝거렸다. 생각보다 강렬한 빛에 눈물이 핑 돌았다.

새로운 산책길에 무궁화는 연신 코를 킁킁거렸다. 한참 냄새를 맡더니 공중으로 팔짝팔짝 뛰어오르기를 반복했다. 비좁은 침대에서 벗어난 얼굴에 환한 미소가 드리워졌다. 아무것도 모르는 천진난만한 모습에 나도 모르게 웃음이 나왔다. 메고 있던 가방을 잠시 내려두고, 바닥에 엎드려 땅 냄새를 맡았다. 베란다 종이상자에 넣어둔 감자 냄새, 건조한 시멘트를 후드득 적시는 소나기 냄새, 꼬소한 발냄새도 나는 것 같았다. 킁킁 소리는 또 다른 킁킁 소리로 이어졌다. 흙이 잔뜩 묻은 코와 우스꽝스러운 자세가 만들어낸 화음이 꽤 마음에 들었다.

한참을 놀다가 꼭대기에 있는 대왕 나무 아래 대자로 누웠다. 타닥타닥- 흙발로 돗자리 위를 탐색하던 무궁화도 자리를 잡았다. 늦은 겨울과 이른 봄 사이에 부는 바람에 분위기가 한껏 고조되었다. 햇볕에도 재질이 존재한다면 오늘의 햇볕은 극세사 같다. 쏟아지는 잠과의 사투 중인 무궁화의 오른쪽 앞발에 손가락을 가져갔다. 어쩌면 행복이 늘 곁에 있었을지도 모른다는 착각에 사로잡혔다.

평화롭던 소풍은 핸드폰 진동 소리에 급하게 막을 내렸다. 보호소에서 걸려 온 전화였다.

"여보세요."

"임보자님 안녕하세요. 오늘 6시에 오시는 건지 확인차 연락드렸어요."

"네, 6시 전에 도착할 수 있을 것 같아요."

"지난번에 말씀드렸던 사료도 꼭 챙겨주세요. 사료가 갑자기 바뀌면 안 먹는 애들이 있어서, 먹던 사료 조금만 부탁드릴게요."

임시 보호 종료를 채근하는 통화가 끝났다. 어느새 잠에서 깬 무궁화가 나를 올려다보고 있었다. 지금까지 한 번도 본 적 없는 눈빛이었다.

〈7〉

서둘러 뒷좌석에 가방을 내려두고, 무궁화를 보조석에 태웠다. 보조석에서 운전석으로 이동하는 짧은 순간, 무궁화는 이미 잘 준비를 끝낸 듯했다.

"오늘 산책 엄청 많이 했다. 도착할 때까지 한숨 자."

미간에 잡힌 깊은 주름과 함께 온갖 생각들이 뒤엉켰다.

무궁화는 호랑이 없는 정글로 돌아가야 한다. 간식 하나에 수십 마리의 개들이 배를 뒤집고, 두 발 서기를 뽐내야 한다. 경쟁에서 밀려난 개들은 먹이와 관심을 도둑질당한다. 어떤 개들은 운 좋게 반려견이 되고, 또 어떤 개들은 차가운 벽만 쳐다보다가 눈을 감는다. 공고 기간이 지나면 방을 빼야 하는 고단한 현실. 가라면 가고, 기다리라면 기다렸던 착한 개들은 줄지어 강아지별로 떠난다. 만약 입양자가 나타나지 않는다면 무궁화는 어떻게 되는 걸까. 가까스로 해외로 간다고 해도 문제다. 해외 입양이 확정되면 입양 의사를 밝혀도 함께할 수 없게 된다. 해외 입양은 신용을 바탕으로 진행된다. 정해진 약속을 깨면 신뢰가 깨지고, 남아있는 개들의 입양 기회까지 상실되기 때문이다. 해외 입양자 정보는 기밀인 경우가 많아서 죽을 때까지 재회할 수 없게 된다.

"낑낑-"

온갖 생각이 꼬리에 꼬리를 물고 이어지던 중, 보조석에서 이상한 소리가 들려왔다. 정면을 주시하며 보조석으로 최대한 몸을 기울였다.

"낑낑- 낑낑-"

지난 3개월 내내 음소거 모드였던 무궁화가 낸 소리라면 뭔가 문제가 있는 것이 확실했다. 깜빡이 신호 없이 차선을 넘어 갓길에 차를 세웠다. 숨을 쉴 때마다 온몸이 크게 들썩이고, 쌕쌕 바람 빠지는 소리가 들렸다. 아픈 강아지 트라우마가 발동한 걸까. 나는 드라마 지문에 자주 쓰이는 '발을 동동 구르며 어찌할 바를 모르는' 상태에 빠졌다. 사방을 더듬다가 손에 잡힌 담요를 덮어줬지만, 상황은 크게 달라지지 않았다. 급하게 먹은 간식이 얹힌 건가 싶어 등과 어깨를 두드려도 소용없었다. 턱 아래 손을 받치고 생수를 붓자, 낑낑 소리는 더 커졌다. 바람 빠지는 것 같은 숨소리가 출산이 임박한 산모의 라마즈 호흡으로 변했다. 막다른 상황에 절규가 터져 나왔다. 나조차도 내가 무슨 소리를 내고 있는지 알 수 없었다. 가까스로 핸드폰을 들었지만, 갈 곳을 잃은 손가락이 허공에서 사정없이 흔들렸다. 뒤이어 뒷좌석에서 희미한 소리가 들려왔다, 웅얼웅얼. 나는 번뜩 정신을 차리고, 액셀을 밟았다.

진단 결과는 급성 위염이었다. 상한 음식이나 세균에 감염된 이물질이 원인이었다. 먹은 걸 죄다 토해내는 바람에 영양 주사를 처방받았다. 의사와의 상담이 끝나고, 무궁화를 다시 만난 곳은 입원실이었다. 사방이 유리로 된 닭장 같은 곳에 갇혀 혓바닥을 길게 늘어뜨리고 있었다. 갑자기 다리에 힘이 풀리고, 당장이라도 주저앉아버릴 것만 같았다. 인기척을 느낀 무궁화와 눈이 마주쳤다. 무궁화는 부서질 듯 자그만 몸을 일으켜, 나를 향해 있는 힘껏 짖기 시작했다.

"나 여기 있어요! 나 여기 있어요!"

3개월 만에 처음 듣는 목소리였다. 무궁화는 이제 막 세상 밖으로 나온 갓난아이처럼 목청껏 울부짖었다. 벽면에 무자비하게 찍힌 발자국이 필사적인 심경을 대변했다. 좁은 곳에 갇힌 것이 분해서일까, 아니면 또다시 혼자가 되는 것이 무서워서일까. 우리는 유리창 너머로 서로의 지친 마음을 다독였다.

〈8〉

보호소로 가는 내내 무궁화는 축 늘어져 있었다. 시간을 운전할 수 있다면 액셀 대신 브레이크만 계속 밟고 싶었다. 오후 5시 55분. 약속한 시간은 결국 우리를 목적지에 세워두었다. 무궁화는 쌕쌕 내쉬던 숨을 멈추고, 가만히 창밖을 내다봤다. 문을 열고, 몇 발짝만 걸어가면 모든 것이 끝난다는 사실을 알고 있는 것 같았다.

"가서 말 잘 듣고. 살찌면 사람들이 싫어하니까 간식도 조금만 먹고."

여느 때처럼 나를 올려다보는 눈이 촉촉하게 차올랐다. 나는 아무도 눈치채지 못하게 속으로 한참을 흐느꼈다.

보호소 문 앞에 도착해서 벨을 누르자, 익숙한 목소리가 들려왔다.

"어서 오세요. 기다리고 있었어요. 궁이 잘 지냈어? 살이 아주 오동통하게 올랐네."

"조절해서 준다고 줬는데, 살이 좀 찐 것 같아요."

"원래 사랑을 많이 받으면 살도 찌고, 예뻐져요. 들어오세요."

작은 원형 테이블 위로 녹차 두 잔이 덩그러니 놓여있다.

"3개월 동안 정말 감사했어요. 무궁화 표정이 훨씬 좋아진 것 같아요. 이제 집 생활도 해봤으니까 입양 갈 준비만 잘하면 될 것 같아요."

"입양은 언제 갈 수 있는 거예요?"

"저희가 홍보를 더 열심히 해서 입양자를 찾아봐야죠."

"입양 가기 전까지는 여기서 계속 지내는 거죠?"

"입양 가기 전까지 최대한 돌보겠지만, 보호소 사정 아시잖아요. 하루에도 수십 마리씩 들어오다 보니까 저희도 어떻게 될지 알 수 없어요. 최대한 빨리 찾아봐야죠. 너무 걱정하지 마세요."

"아, 네. 혹시 가끔 보러 와도 되나요?"

"임보자 님 마음은 이해하지만, 안 오시는 게 좋아요. 오셨다가 가시면 애들이 많이 우울해하거든요. 마지막으로 인사 나누시면 데리고 들어갈게요."

누군가에게는 별일 아닌 이별에 직면했다. 나는 발 옆에 납작 엎드려 있던 무궁화를 정성껏 쓰다듬었다. 뾰족한 귀와 촉촉한 코, 부드러운 털과 들려있는 발톱까지 하나도 빠짐없이 기억하기 위해 노력했다. 그동안 함께 해줘서 고마웠다고, 덕분에 아주 많이 행복했다고, 잘해주지 못해서 미안했다고. 하고 싶은 말들이 입안에서 빙빙 맴돌았다.

"무궁화 이제 들어갈게요."

지금까지 꽉 잡고 있던 끈을 놓친 건지, 놓은 건지 알 수 없었다. 봉사자의 손에 이끌려 터덜터덜 걸어가던 무궁화가 뒤를 한번 돌아봤다. 나는 마지막 순간까지 벙어리가 되었다. 무궁화가 사라진 문을 바라보며 허수아비처럼 서 있을 뿐이었다.

거센 폭풍우가 지나간 운전석에 다시 앉았다. 무궁화의 잔상만 남은 보조석에 손을 대보니 미지근한 온기가 느껴졌다. 최대한 빨리 죄책감에서 벗어나야만 했다. 도망치듯 출발한 차가 멈춘 곳은 할아버지의 뒷산이었다. 유골함이 담긴 가방을 둘러메고, 대왕 나무를 향해 걷기 시작했다. 꼭대기에 다다를수록 숨은 거칠어졌지만, 마음에는 평온이 찾아오는 듯했다.

어느새 대왕 나무 앞에 도착한 나는 바닥에 주저앉았다. 너그러운 바람이 머리카락 한 올 한 올을 정성껏 쓰다듬으며 지나갔다. 바람은 가방 안에 있는 동후니에게도 다다른 것 같았다. 불룩한 주머니에 손을 넣어보니 테니스공 대신 인형 하나가 딸려 올라왔다. 곰돌이 모양 인형에 흰털이 덕지덕지 붙어있었다. 어디론가 사라진 한쪽 눈알과

솜이 삐져나와 있는 옆구리에 웃음이 터져 나왔다. 무궁화가 옆에 있었다면 웃는 건지, 우는 건지 알 수 없는 나를 빤히 올려다보고 있을 것만 같았다. 나는 핸드폰을 꺼내 오랫동안 망설였던 메시지를 전송했다.

「무궁화 제가 입양할게요.」

비로소 나는 혼자가 아니게 되었다.

미완성 수채화

김보화

김보화

글을 쓰고 그림을 그릴 때 차분하게 가라앉는 시간을 사랑합니다. 온전한 나 자신이 되기 위해 고군분투해왔고 지금은 그럭저럭 나와 잘 지내는 중입니다. 나의 내면을 들여다보는 일에 관심이 많고 또 그만큼 다른 이들의 내면도 궁금해 합니다. 그들 속에서 아직 발견하지 못한 보석을 비추어 보여주는 거울 같은 사람이 되길 희망합니다.

붓에 물을 묻혀 물감을 풀었다. 초록빛이 연기처럼 물통 안에 퍼지는 것을 바라보다가 다시 그림에 집중하려고 눈을 부릅떴다. 다음 달부터는 수채화 수업이 있어서 새로운 예시 작품들을 여러 개 만들어 놓아야 한다. 마음은 급한데 시선은 자꾸 핸드폰에 묶여있다. 붓의 물기를 적당히 닦아 종이 위에 톡톡 옅은 나뭇잎을 만들었다. 급한 마음에 채 마르지도 않은 초록 잎 위로 짙은 파랑을 쌓아 올리다가 또 핸드폰에 시선이 멈췄다. 병원에 정기 검진을 다녀온다던 엄마는 아직 연락이 없다.

나무 이젤 위에 걸쳐 올려두었던 핸드폰 진동이 크게 들렸다. 엄마인가? 핸드폰에 정신이 팔린 사이, 붓이 머금은 물이 종이 위에 흥건해져 그림이 일그러졌다. 아유, 처음부터 다시 그려야 하나? 얼굴을 살짝 찡그리며 손에 든 붓을 얼른 내려놓고 전화를 들었다. 연우의 전화다. 손가락을 들고 핸드폰 액정 화면 앞에서 머뭇거리다가 이내 통화버튼을 스쳤다.

"혜주 씨, 오랜만이에요. 오늘 생일 축하해요."

나는 나이 계산법이 만 나이로 통일되고 해가 바뀌면서 오늘 두 번째 스물아홉 생일을 맞았다. 연우는 거의 한 달 만에 내 생일을 핑계로 연락을 해왔다. 연우는 내가 일하고 있는 '그리다 아틀리에'의 수강생이었다. 고등학교 미술 시간 이후로 그림을 처음 그려본다는 그는 긴 손가락으로 어색하게 연필을 움켜쥐고는 어떤 구도가 좋을지, 원하는 색 조합을 어떻게 만들어야 할지, 어떤 붓으로 세밀한 묘사를 하면 좋을지를 열정적으로 물었다. 처음에는 그림 그리기를 좋아하는 직장인 수강생인 줄 알았는데 그는 점점 그림보다 어떤 장르의 영화를 좋아하는지, 새로 오픈한 맛집엔 가봤는지 등의 것들을 물었다. 그는 자기가 작업 중인 그림보다 나에게 궁금한 게 더 많아 보였다.

"쉬는 날엔 뭐 하는 걸 좋아하세요?"

연우의 질문에 머뭇머뭇하다 얼버무렸다. 내가 좋아하는 것에 대해 생각해 본 적이 별로 없었다. 나는 나를 궁금해했던 적이 있었던가? 어떤 사람의 말하는 습관, 자주 짓는 표정, 좋아하는 장소, 즐겨 먹는 음식 등이 뭔지 알면 그 사람을 '잘 안다'고 말할 수 있을까? 그렇다면 나는 나를 잘 알지 못했다. 어렸을 때부터 친구들이 떡볶이 먹으러 갈래, 닭꼬치 먹으러 갈래? 물으면 아무거나. 넌 뭐가 좋아? 하고 대답하는 아이였다. 조금 싫은 건 그때뿐이라 참을만했고 못 하면 죽을 것 같이 간절하게 좋은 것도 없었다. 나라는 사람을 하얀 종이에 그림으로 표현한다면 색을 한 번씩만 올린 심심한 수채화 아닐까? 눈에 잘 띄는 색도 없고 군데군데 흰 구멍이 숭숭 나 있는 미완성 수채화. 그게 나였다.

그러나 연우를 만나면서 나는 산미가 별로 느껴지지 않는 고소한 커피를 좋아한다는 것을 알았다. 슬픈 영화를 싫어하고, 에일보다는 라거 맥주를, 초콜릿보다 치즈가 들어간 디저트를 더 좋아한다는 것을 알았다. 이도 저도 아닌 색으로 모호하게 번진 물감 같았던 나는 연우의 질문을 들을 때마다 새로운 나의 모습을 발견할 수 있었다. '나'라는 심심한 미완성 수채화가 다채로워질 것만 같은 기분이 들어, 설레는 마음마저 들었다.

혼자서 연우를 생각하는 시간이 점점 길어졌다. 그러나 딱 그때쯤 연우는 '당분간 화실에 못 가요' 통보하고는 점점 연락이 뜸해졌다. 특유의 친화력과 자신감 넘치는 목소리. 다정함과 유쾌함. 그동안 그를 잘 알고 있다고 생각했다. 하지만 끊어져 버린 관계. 이유를 물어볼 수도 있었지만 아무거나 괜찮다고 말하던 나의 오래된 습관은 관성의 법칙을 따랐다. 나는 괜찮아, 받아들였다. 아니 받아들이는 중이었다. 그런 그가 오늘 오랜만에 전화를 걸어온 것이다.

왜 연락이 없었는지, 무슨 일이 있었는지 물어보고 싶었다. 하지만 심심한 수채화 같은 내가 싫증이 난 거라면? 아직 연우에게 그런 말을 들을 용기가 나지 않았다. 반갑기도, 밉기도, 궁금하기도 한 감정이 목소리에 묻어나기라도 할까 봐 목 위로 넘어 올라오는 말들을 애써 삼켰다. 연우는 그런 내 마음을 모르는지, 아무렇지 않게 말을 이어갔다.

"제 그림, 잘 있죠? 그때 마무리를 다 못 했어요. 조만간 화실에 들를게요. 그림 완성하러."

그리다 만 연우의 그림이 화실에 그대로 남아있었다. 나중에 보자는 미지근한 인사를 뒤로하고 전화를 끊었다. 전화를 마치고 핸드폰을 보니 엄마에게서 온 부재중 전화 1통, 문자 1통이 와있었다. 병원에 다녀왔다는 연락이었다.

"저번보다 안 좋아졌다고 3개월 뒤에 수치 다시 확인하자고 하더라."

전화기 너머로 서두 없이 툭 내뱉는 엄마의 말이 커다란 돌덩이처럼 내려앉았다. 열린 창문 사이로 서늘한 공기가 들어와 몸이 움츠러들었다. 엄마는 애써 담담하게 말을 꺼내는 것 같았지만 걱정이 많이 되는지, 목소리에 힘이 하나도 없어 보였다.

10년 전, 내가 갓 스무 살이 되었을 무렵 엄마는 신장 기능에 문제가 생겨 신장 하나를 제거하는 수술을 받았다. 엄마는 쉽게 피곤해졌고 즐겨 하던 격한 운동을 못 하게 되었다. 그래도 꾸준하고 성실하게 정기 검진을 다니고 음식을 조절하고 걷는 운동을 자주 했다. 피곤해하는 엄마를 보며 나이가 들면 자연스럽게 누구나 겪는 현상이라고 생각했다. 나는 엄마가 생각보다 쉽게 잘 이겨내고 있다고 짐작했었다.

엄마는 3개월 뒤에도 크레아티닌 수치가 떨어지지 않으면 앞으로 평생 약을 먹어야 하고, 절반의 확률로 5년 안에는 투석을 할 수도 있다는 무시무시한 말을 전했다. 애써 아무렇지 않은 척 의사가 으레 겁주는 이야기일 거라고 말을 덧붙이는 목소리 끝이 조금 떨렸다.

"엄마, 큰 병원으로 옮기자. 내가 어디가 제일 잘하는지 알아보고 예약할게."

이때다 싶은지 전화기 너머로 아빠도 내 말을 거들었다. 하지만 엄마는 싫다고 했다. 엄마를 신경 못 쓴 것 같아 미안한 마음이 들었다. 마침 내일부터 주말이라 집에 가겠다고 하면서 전화를 끊으려는데, 엄마가 한 마디를 덧붙였다.

"아참, 혜주야. 올해는 시험 준비하는 거지?"

미안했던 마음이 손바닥 뒤집듯 뒤집혔다. 속에서 뭔가가 나를 꽉 쥐고 끌어 내리는 것 같다. 팔로 책상을 짚고 버티며 고개를 푹 숙였다. 내일 집에서 이야기하자고 대충 대답하고 전화를 끊었다. 수채화 그림을 완성하지 못했다. 물에 번져 찌그러진 그림을 보며 한숨을 내쉬었다.

하늘이 쨍하고 맑다. 햇볕은 따뜻한데 공기는 차가웠다. 비행기 바퀴가 땅에 닿자마자 핸드폰의 비행기 모드를 껐다. 딱히 급하게 연락이 올 곳도 없지만 요 며칠 나는 핸드폰을 손에서 놓지 못하고 있다. 연우는 내 생일 이후로 별다른 연락이 없었다. 먼저 연락해 볼까, 말까. 이틀 동안이나 고민만 했다.

저번 추석 명절에도 이런저런 핑계로 본가 제주도에 오지 못했었다. 마음만 먹으면 이렇게 주말에도 올 수 있는데. '나 도착. 알아서 버스 타고 갈게.' 엄마한테 문자를 남기고 공항 밖으로 나서니 시들시들한 야자수가 바람에 나부끼며 나를 반겨준다. 야자수가 살기엔 제주도 겨울바람은 너무 추운 거 아닌가, 쓸데없는 생각을 하며 시내 끝자락 작은 동네 초입에 있는 버스 정류장에서 내렸다. 나는 길 가다 마주치는 사람이 어디 사는 누구인지 알만한, 그런 작은 동네에서 17년을 살았다. 내가 제주도의 어느 작은 마을 출신이라고 말하면 도시에서 자란 대학교 동기들은 옆집 아주머니의 따뜻한 인심이나 고향 친구들 사이의 끈끈함을 상상하고 부러워했다. 그러나 '가족적인 동네 분위기'라는 것은 집 밖에서 하는 나의 모든 행동이 엄마 귀에 들어간다는 뜻이다.

친구들과 떡꼬치를 사 먹으며 들어오면 그날 저녁 엄마는 '쌀집 할머니가 너 봤다던데, 인사 잘했어? 길에서 뭐 먹으면서 다니지 마라. 걸어 다니면서 먹는 거 보기 안 좋아'라고 했다. 중학생 때 처음 사귄 남자친구와 하굣길에 같이 걸어오기라도 하면 그다음 날 엄마는 내 남자친구가 누구인지 알 수 있었다. '어제 옆집 이모가 너 성준이랑 사귀느냐던데, 공부해야지. 그냥 친구로만 지내', 하는 식이었다.

나와 달리 엄마의 고향은 제주도가 아니다. 엄마는 손이 큰 외할머니 덕분에 늘 사람들로 북적이는 집에 살았다고 했었다. 여섯 남매 중 셋째였던 엄마는 동네 손님들의 심부름을 도맡아 했다. 큰오빠는 장남이라, 큰언니는 집안일 돕느라, 동생들은 어리니까 심부름에서 제외였다. 막걸리, 담배, 반찬거리 심부름……. 셋째딸이었던 엄마는 혼자만의 시간을 가져보는 것이 소원이라고 했었다. 북적거리는 동네 사람들 틈에서 끝날 줄 모르는 심부름이 지겨워 "난 나중에 아무도 모르는 제주도에 가서 혼자 살 거야!"라고 입버릇처럼 말했다고 했다. 그리고 엄마는 진짜로 제주도에 신혼살림을 차렸다. 제주도에서 살아보고 싶었다는 아빠와의 뜻이 잘 맞았다나. 어쨌거나 말이 씨가 된다는 게 맞는 말이라며 엄마는 언젠가 웃으며 나에게 이런 이야기를 들려준 적이 있었다.

엄마는 좋아하는 옷 관련 공부를 그만두고 결혼을 선택했었다. 제주에서 나 하나를 키우려고 좋아하던 일이나 공부, 인간관계 같은 것들을 포기했을 것이다. 엄마가 그런 이야기를 할 때마다 미안한 마음이 들었다. 하지만 행복하다고 했다. 엄마는 나에게 엄격했던 만큼 헌신적이었고 나는 그 기대를 먹고 무럭무럭 자랐다. 착한 딸이 되기 위해서는 이 작은 동네에서 눈에 띄지 않는 아이가 되어야 했다. 좋고 싫음의 기준을 내가 아니라 바깥에 두고 '나는 아무거나 상관없어.', 하면서 나의 취향에 눈감아버리는 습관은 아마 여기에서부터 시작했을 것이다. 표정을 지우고 말수를 줄이면 되는 일이었다. 엄격했던 엄마에 대한 나의 최대 반항이었다.

"엄마, 나 왔어."

"아이구, 우리 딸. 오느라 고생했어."

엄마의 건강이 좋지 않다고 생각하니 얼굴이 더 거칠어 보였다. 오는 길에 신장내과로 유명한 교수가 있다는 대학병원에 엄마 진료를 예약했다. 필요한 서류를 가져간다고 하니 그나마 제일 빠른 예약이 2주 뒤였다. 나는 간단히 짐을 풀고 재빨리 엄마 앞에 앉아 본론을 꺼냈다.

"엄마, 병원 예약했어. 다다음 주 금요일이야. 목요일 비행기 표로 예약해 놓을게."

"서울까지? 내버려둬. 너도 바쁘고."

"나도 괜찮아. 하루 이틀 쉴 수 있어."

"안 좋아지면 그때 가면 되지 뭐. 지금은 아무렇지도 않은데."

엄마는 계속 핑계를 댔다. '큰 병원은 멀고 복잡해서 싫다, 지금부터 평생 약을 먹어야 하는 게 싫다, 3개월 뒤에도 검진 결과가 안 좋으면 그때 갈게'하는 식이었다. 엄마가 순순히 병원에 갈 것 같지 않았다. 엄마가 아픈데 내가 아무것도 안 하고 가만히 있는 것도 얼마나 신경 쓰이는 일인 줄 몰라? 엄마 생각만 하지 말고 내 말도 들어, 제발. 입 밖으로 차마 내뱉지 못한 말을 애써 눌러 담으며, 저녁에 다시 이야기하자고 하고 짐을 풀러 방으로 들어갔다.

엄마에게 크게 화를 내본 적은 없었다. 엄마가 아무런 연고도 없는 제주에서 나를 힘들게 키웠다는 옛날이야기를 듣고 있노라면 늘 어딘가 마음 한구석이 무거워졌기 때문이다. 죄책감이라는 단어를 사용하기엔 딱히 지은 죄가 없고 부채감이라고 하기엔 엄마에게 갚아야 할 뭔가가 있는 것 같아 너무 남 같이 느껴진다. 엄마가 30년간 포기해야 했던 많은 것들이 쌓이고 쌓여 '내'가 된 것 같다. 30년간 고생해서 나온 결과물이 나라니. 약간은 부담스러운 기분으로 휴대용 이젤을 탁탁 펼쳤다.

다음 달 수업에 사용할 수채화 예시 작품을 아직 못 그렸다. 어제 물감이 번져 종이가 일그러져버린 그림을 일단 그대로 들고 왔다. 여유가 없었다. 빨리 그림을 마무리하고 이따가 아빠가 오면 엄마를 다시 설득해 보자고 생각하며 종이를 손바닥으로 다림질하듯 쓱쓱 폈다. 그때였다. 엄마가 내 방으로 들어와 침대 위에 앉으며 말문을 열었다.

"그건 그렇고, 혜주야. 이제 너도 서른이고 시험 준비 더 늦으면 안 돼."

마음의 여유가 부족해서였을까, 이마 위로 열이 번쩍 올랐다. 깜짝 상자 속 스프링이 튀어나오듯이, 꽉 잠겼던 상자 뚜껑을 툭 건드리니 꾹꾹 눌러 담았던 말들이 터져 나왔다.

"예전부터 선생님 되는 거, 엄마나 좋아했지. 나는 싫었어."

엄마는 갑작스러운 나의 고백에 당황한 듯 주춤거리며 일어났다가 다시 앉았다.

"아니, 내가 지금 나 좋자고 이래? 너 나중에 결혼하고 애 낳으면 지금 하는 일 계속할 수 있을 것 같아? 엄마가 다 겪어봐서 그래. 안정적인 직장이 최고야. 교직 이수도 힘들게 다 해놓고 왜 그래."

엄마는 정말로 나를 이해하지 못하겠다는 듯이 답답한 표정을 지었다. 엄마는 내가 교사나 간호사가 되길 바랐었다. 엄마의 입맛대로 살아왔던 내가 미대에 진학하겠다고 선포하던 날, 엄마는 처음으로 크게 반대를 했다. 공부를 열심히 해서 꼭 교직 이수를 하겠다고 반강제로 다짐을 받고 나서야 미대 입시 준비를 할 수 있었다. 대학을 졸업하고 시험 준비를 하는 둥 마는 둥 하던 때도 있었다. 지금은 졸업한 지 6년이 넘게 지났고 시험공부에선 손을 뗀 지 오래였다. 그러나 엄마는 내 임용 공부를 포기하지 못했다. 내가 엄마처럼 결혼이나 육아 때문에 좋아하는 것을 포기할까 봐 걱정되는 걸까? 하지만 나는 그림을 좋아하는 것이지 안정적인 직장을 좋아하는 것이 아니야, 속으로 생각했다. 내가 아무 말도 없으니 엄마는 바짝 다가와 나를 계속 설득하려 했다.

"내가 뭐, 고생한 엄마의 보상이야? 엄마 마음대로 하려고 하지 마,

제발!"

그 뒤로도 '엄마 말대로 해라, 이게 다 너 잘되라고 하는 말이다'와 같은 이야기를 더 견디지 못하고 빽 소리를 질렀다. 전두엽 스위치가 나갔다 들어온 것 같다. 엄마는 내가 좋아하는 것이 무엇인지 생각해 본 적도 없는 것 같았다. '나'라는 심심한 미완성 수채화를, 자기 마음에 쏙 드는 완벽한 작품으로 만들려는 게 분명했다. 붓을 휘두르는 사람이 내가 아니라 엄마인 것 같다는 생각이 들었다. 엄마랑 싸우기는 싫었는데. 몇 년째 방 한구석에 처박아 둔 임용 관련 책들을 모조리 꺼내 들고 집을 나와버렸다. 낑낑거리며 가지고 나온 책들을 분리수거함에 던져 넣으니 후련했다. 그렇지만 그다음엔? 딱히 갈 곳이 없었다. 책까지 버린 마당에 다시 집으로 들어가 엄마를 바로 마주하기가 좀 어색했다. 하는 수 없이 슬리퍼를 끌면서 동네 길을 따라 쭉 걸었다. 차가운 밤공기를 들이마시니 화가 좀 식는 듯했다. 익숙한 바다 냄새가 코끝으로 느껴졌다. 마음이 조금씩 진정되었다. 이 길을 따라 10분 정도 내려가면 아랫마을 바닷가 동네가 나온다. 동네 끝까지 내려가면 까만 바다 멀리서 오징어 배 불빛이 줄줄이 반짝거렸다. 우리 집 다락방에서는 이 오징어 배 불빛이 아주 잘 보였었다. 어렸을 때는 가끔 엄마와 다락방 창문가에 앉아 반짝거리는 불빛을 보며 시간을 보냈었다.

오징어 배 불빛이 물결에 닿아 일렁이고 사라지고 다시 일렁이는 것을 한참 바라보았다. 엄마한테 슬그머니 미안한 마음이 다시 들었다. 동네 할머니들은 엄마를 '육지 것'이라고 불렀다. 요즘에는 한 달 살이다 뭐다 제주에도 외지인이 많지만 30여 년 전에는 그렇지 않았다. 특히 이런 바닷가 동네 작은 마을에는. '육지 것'이라는 말은 배척의 의미를 내포한 것처럼 들린다. 30년 전 스물아홉 살의 엄마도 그걸 느꼈을 것이다.

시골의 작은 고등학교 선생님이었던 아빠는 매일 새벽에 출근하고 야자가 끝나야 퇴근했다. 엄마는 오롯이 혼자서 육아를 감당해야 했을 것이다. 처음엔 동네 할머니들의 제주도 사투리 억양이 세서 화를 내는 것처럼 들렸다고 했다. 동네 할머니들은 '육지 것이 오래 잘 버티네' 하면서 반찬 통을 툭툭 내어주며 정을 주었지만, 엄마는 가끔 전화기를 붙잡고 어깨를 들썩이며 숨죽여 울었다. 엄마는 '육지 것'이라고 불리면서 외지인도, 현지인도 아닌 사람으로 30년을 살았다. 그 끈끈한 소속감 사이를 비집고 앉아 버티기 위해 누구보다 부지런하게 나를 키워냈을 것이다.

엄마는 가끔 다락방에서 이 오징어 불빛을 바라보며 이야기하곤 했다. 내가 엄마의 전부였다고, 엄마가 가장 의지한 게 어린 나였다고. 어렸던 나는 엄마의 마음에 꼭 들어 엄마를 행복하게 해주고 싶었다. 하지만 엄마의 기대에 부응하기엔 늘 조금씩 모자란듯해 마음이 바빴었다. 그때는 전화기를 붙잡고 흐느끼던 엄마의 뒷모습이 무엇을 의미하는지는 생각해 본 적이 없었다. 하지만 이제는 나를 향한 엄마의 기대와 엄격함이 어렴풋이 이해되는 것 같기도 하다.

그래도 나는 엄마의 전부가 되고 싶지는 않다. 엄마는 지금 어떤 기분일까? 나 대신 '나'라는 완벽한 작품을 그리며, 엄마가 원하는 미래를 꿈꾸다가 하루아침에 붓을 빼앗긴 기분일 것이다. 엄마도 나를 키

우느라 자기의 취향과 특성은 모른 척 넘어가 버렸겠지. 처음으로 엄마와 내가 닮은 것 같기도 하다는 생각이 들었다. 조금 안쓰럽기도 했지만, 그렇다고 지금까지처럼 '나는 괜찮아, 상관없어'하면서 화실을 그만두고 시험 준비를 하고 싶지는 않다.

터덜터덜 걷다가 다시 집으로 돌아왔다. 화내고 나갔던 게 마음에 걸려 최대한 엄마 눈에 띄지 않게 조용조용 방으로 들어왔다. 새로 그림을 그리려 하는데, 핸드폰에 알림이 떠 있었다. 연우인가? 순간 반짝 기대감이 올라왔다. 하지만 그런 나의 얼굴을 비웃기라도 하듯, 광고 알림이 한 번 더 울렸다. 느릿느릿 알림을 지우고 핸드폰을 내려놓았다. 연우는 내가 어떤 사람인지 나를 궁금해하면서도 자기 이야기는 잘 하지 않았다. 관계가 끊어져 버렸다고 생각했을 때 나는 연우에 대해 아는 것이 많지 않았다. 며칠 내내 핸드폰만 보고 있었으면서. 나는 정말 괜찮은 것이 맞나? 괜히 복잡해진 마음을 핑계로 조금 쉬어야겠다고 생각하면서 수채화 물감을 밀어냈다. 머리도 식힐 겸 다락방에나 올라가 볼까. 아까 봤던 오징어 배 불빛이 여전히 잘 보이는지, 옛날 생각을 하며 계단을 올라갔다. 나무로 된 다락문은 열린 적이 언제인지 기억도 나지 않는 듯 꽤 요란한 소리를 내며 열렸다.

먼지가 내려앉은 창문으로 희미한 가로등 불빛이 뻗어 들어오고 있었다. 오래된 철제 선반을 눈으로 훑었다. 두꺼운 옛날 사진 앨범, 어릴 적 가지고 놀던 인형, 엄마 아빠가 보던 낡은 책들……. 재미 삼아 옛날 사진을 구경할 생각으로 앨범으로 손을 뻗었는데 그 위에 놓여있는 종이 상자에 눈길이 갔다. 뚜껑이 덮인 빛바랜 종이 상자였다. 나한테 이런 상자가 있었나? 기억을 더듬으며 뚜껑을 열었다. 삐뚤빼뚤 색연필로 그린 알록달록한 그림 낱장이 맨 위에 놓여있었고 그 밑으로 차곡차곡 그림들이 더 있었다. 내가 어렸을 때 그렸던 그림들이었다.

어렸을 때부터 나는 그림 그리는 것을 좋아했다. 흰 종이 위에 납작 엎드려 색연필을 잡으면 그림을 그리는 손끝으로 사각사각, 조용하고 평화로운 소리가 방을 가득 메웠었다. 상자 속에는 어렸을 때 그렸던 그림부터 초등학생, 그리고 중학생 때의 스케치북 몇 권이 같이 들어 있었다. 추억을 마주하는 기분이 들어 하나하나 살펴보는데 그림을 그린 날짜와 함께 그림에 대한 짧은 메모들이 함께 붙어 있었다.

'엄마 생일 선물로 그려준 그림. 혜주야, 고마워.'

'행복한 우리 가족'

'바닷가 나들이'

내 낙서 같은 그림에 엄마가 달아 둔 짤막한 메모들이었다. 언젠가부터 엄마는 내가 그림을 그리면 탐탁지 않게 생각했다. 아니, 적어도 나는 그렇게 느껴왔었다. 그런데 엄마가 이렇게 정성스럽게 내 그림들을 모아두었을 줄이야. 엄마에게 이해받지 못하고 있다고 느꼈던 오늘의 무거운 감정이 스르륵 녹아내리는 것 같은 기분이 들었다. 계속해서 그림들을 넘겨 보았다. 엄마의 감상이 일기처럼 적힌 메모들도 종종 보였다.

'혜주랑 다락방에 같이 누워 빗소리를 들었다. 창문에 방울방울 흘러내리는 비를 귀엽게 그려낸 혜주.'

'단풍이 들어 다 같이 드라이브를 다녀왔다. 알록달록 예쁜 색을 그

림으로 그려보면 좋겠다고 종알대더니 돌아오자마자 크레파스를 꺼내 들고 한참을 그리다 어느새 잠이 들었다.'

사진첩을 들여다보는 것처럼 그때의 기억이 떠올라 푸흐흐-하고 웃어버렸다. 내가 그림 그리는 것을 반대하던 엄마가 야속하다고만 생각했었다. 하지만 엄마는 내가 좋아하는 그림을 소중하게 간직하고 있었다. 제일 마지막 그림에 달린 메모까지 다 읽고 나서 상자를 원래대로 올려두었다. 아까보다는 조금 가벼워진 마음으로 방으로 돌아온 나는 물에 불었다가 말라서 일그러진 수채화 종이를 구겨버리고 새 종이를 펼쳤다.

엄마와 딸의 싸움은 칼로 물 베기. 늘 그렇듯 어물쩍, 화해하지 않고 넘어갔다. 엄마는 별일 없었다는 듯 주말 내내 시험 이야기를 꺼내지 않았고 나도 병원 이야기를 꺼내지 않았다. 다시 일상으로 돌아와 화실에 나뒹구는 종이 팔레트들을 가지런히 접어 버리고 붓을 종류별로 정리해 꽂아 두었다. 수채화의 완성도를 높이기 위해서는 물감을 밀도 있게 쌓아 올려 깊이감을 주어야 한다. 하지만 너무 성급하게 물감을 올리면 종이가 물에 젖어버리고 만다. 충분한 시간을 두고 그림을 그려야 되는데. 나는 엄마에게 너무 성급했던 것 같다.

엄마에게 뭐라고 하면서 말문을 열어볼까, 고민하면서 수강생들의 그림을 정리하는 중이었다. 보기 좋게 한쪽에 진열하다가 연우의 그림을 손에 들고서는 멈칫했다. 어제 늦은 밤 '혜주 씨, 뭐해요?' 하는 연우의 연락이 왔었다. 메시지를 확인만 하고선 비행기를 타고 넘어오느라 아직 답장하지 못한 상태였다.

나는 괜찮지 않았다. 나는 연우가 궁금했다. 핸드폰을 들고 톡을 보냈다.

'이번 주 목요일에 화실 올 수 있어요?'

톡을 보내자마자 거의 바로 답장이 왔다.

'혜주 씨 연락 기다리고 있었어요. 저 오늘 갈래요.'

연우는 수업 시간이 끝나고 다른 수강생들이 자기 짐을 챙겨 나갈 때까지 주섬주섬 부산하게 움직였다. 붓을 닦았다가 다시 내려놓았다. 나를 곁눈질하며 정리를 하는 척, 괜히 이젤을 거울 옆에 두었다가 다시 창가 쪽에 옮겨놓았다. 파스텔을 꺼내 하나씩 세고 있을 때쯤 마지막 남은 수강생이 '쌤, 다음 주에 봐요' 하고 나갔다. 연우는 파란색 파스텔을 탁 내려놓고 생글 웃는 눈으로 나를 보았다. 나는 그런 연우를 보고 웃음이 터져 크게 웃어버렸다.

"저녁 먹으러 갈래요?"

연우도 웃으며 따라나섰다.

"해외 출장 중이었어요. 한 달 동안. 그동안 혜주 씨 연락 기다렸어요. 참느라 죽는 줄."

"그럼, 출장 갔다 온다고 말해주지 그랬어요."

연우는 나를 빤히 쳐다보더니 말을 이었다.

"혜주 씨도 나를 궁금해했으면 좋겠다고 생각했어요."

누군가가 궁금해지면 자꾸 알고 싶어지고, 생각하다 보면 진심이 된다. 그렇게 마음을 준 관계가 틀어질 때 나는 그 마음의 무게를 감당하기 어려웠던 걸까. 그래서 적당히 마음을 표현하고 때가 되면 돌아섰다. 그러나 오늘 내 앞에서 '나를 궁금해해 줬으면 좋겠다'고 하는 이 남자를 보며, 내 마음이 더욱 확실해졌음을 깨닫는다. 내가 좋아하는 것들로 나의 색을 채워보고 싶었다. 이젠 조금 더 선명해진 색을 쌓아 올려 깊이감 있는 수채화를 완성할 수 있을 것 같다.

"궁금했어요."

"그럼 물어봐요. 오늘 다 얘기해 줄게요."

어디로 출장을 다녀온 건지, 요즘 자주 듣는 노래는 어떤 건지, 커피는 어떤 원두를 좋아하는지, 어떤 영화 장르를 즐겨보는지, 최근에 재밌게 읽은 책은 뭔지, 새벽을 좋아하는지 늦은 밤을 좋아하는지, 아침을 먹는 편인지 아닌지. 나를 알아가는 것만큼이나 그에 대해 새롭게 알게 되는 게 좋았다. 저녁을 먹고 들른 카페가 마감하는 시간까지 연우와 나는 이야기를 계속했다.

며칠 내내 오전엔 그림 작업을 하고 오후엔 수업을 했다. 나는 엄마에게 전화를 걸었다.

"엄마, 다음 주 목요일에 나 보러 와. 엄마 보고 싶어. 병원도 같이 가고 나랑 며칠 있다가 가."

"아이구? 갑자기 왜 보고 싶대?"

아무렇지 않은 척하지만, 엄마의 목소리 뒤로 내뱉는 숨에 애증과 안도감이 뒤섞인 듯 들린다. 엄마의 목소리를 들으니 나도 눈이 약간 뜨거워졌다. 엄마를 '그리다 아틀리에'로 초대해야겠다. 내 손으로 붓을 쥐고 물감을 풀어 그려내는 작품을 엄마에게 보여주고 싶었다. 물

한 방울, 물감 한 겹까지 내가 정한 나의 수채화.

"저번에 나쁘게 말해서 미안해. 엄마한테 내 화실 보여주고 싶어."

"……그래 엄마도 한 번 가볼게. 뭐 먹고 싶은 거 있어? 김치전? 감자탕? 엄마가 가서 해줄게."

"엄마는 뭐 좋아해? 엄마 좋아하는 거 먹자. 목요일에 내가 데리러 갈게."

붓칠 한 겹에 노란빛이 도는 초록을 만들었다. 초록 물감을 조금 더 섞어 그 위에 더하니 다른 느낌의 층이 그 위에 놓인다. 이번엔 비슷하지만, 파랑이 좀 더 섞인 색을 더 찍어 섞고 그 옆 언저리에 한 겹 더 쌓아 올린다. 한 겹 한 겹, 물감의 층이 겹겹이 쌓이고, 깊어진다. 매번 비슷한 것 같아 알아채지 못했는데 자세히 들여다보니 조금씩 다르다. 이젠 한데 모아두고 보니 제법 색의 깊이가 깊어 보인다. 비슷한 것 같지만 조금씩 다르게 채워가는 나의 하루하루가 겹겹이 쌓여 깊이 있는 수채화가 완성되는 거겠지, 붓을 든 손에 괜히 힘을 불끈 쥐며 물감을 풀었다.

헤어나올 수 없는

이로새

이로새

서울에서 태어났다. 수학을 좋아해 이과를 선택하고 자연과학대학을 졸업했지만, 아이러니하게도 사회과학 일을 하는 평범한 직장인이다.
책 읽는 것을 좋아한다. 실은, 책 사는 것을 더 좋아한다. 스트레스를 책 쇼핑으로 푼다. 하지만 늘 읽는 속도가 사는 속도를 따라가지 못한다. 그래서 읽을 책이 항상 산더미이다.
추리, 스릴러 장르를 좋아한다. 언젠가는 모든 이를 깜짝 놀라게 할 추리소설을 쓰고 싶다.

2035년, 고도화된 인공지능으로 거리에는 자율주행 자동차가 다니고, 하늘에는 택배를 배달하는 드론이 날아다닌다. 그리고 집 안에는 사람의 일을 대신해 주고 안전을 지켜주는 가정용 로봇이 함께 살아간다.

나는 오피스텔 건물로 들어갔다. 엘리베이터 문이 열리자 멀리서 카메라 셔터음이 들려왔다. 두 개의 현관문 중 한 개의 문이 활짝 열려 있었고, 순경 2명이 그 앞을 지키고 서 있었다. 나는 순경에게 신분증을 보여주고 집 안으로 들어갔다.

"선배님, 오셨습니까?"

멀리서 같은 팀 후배 동민이 달려 나왔다.

"피해자 이름은 서은수이고요. 나이는 25살입니다. 서은수씨가 출근도 하지 않고 연락도 되지 않자, 서은수씨 직장동료가 집으로 찾아와 발견했다고 합니다."

나는 동민이 읊어주는 정보를 들으며 곧바로 피해자가 있는 방으로 향했다. 피해자 서은수는 자신의 침대에 누워있었다. 잠옷을 입고 손은 배 위에 가지런히 모여져 있었다. 머리부터 발끝까지 단정히 정돈되어 있었다. 사건 현장이 아니었다면 곤히 자고 있다고 생각했을 것이다. 죽음이라는 상황과는 이질적이게도 그녀의 얼굴은 평온해 보였다.

"질식사 같네요."

서은수를 향해 연신 카메라 셔터를 눌러대던 국과수 검사원이 인상을 쓰며 입을 뗐다.

"눈에 띄는 외상흔이 없는 것으로 보아 목이 졸려 사망한 것은 아닌 것 같아요. 입과 코를 동시에 막거나 머리에 봉지를 씌워 질식시키는 방법인 거 같아요. 사망 시각은 어제 자정쯤으로 추정되고요."

검사원의 이야기를 함께 듣고 있던 동민은 혼란스러운 표정으로 나에게 이야기했다.

"누군가 외부에서 강제로 침입한 흔적은 없습니다."

외부 침입의 흔적이 없다는 것은 서은수와 안면이 있는 사람의 소행이라는 말이다. 서은수가 범인을 향해 현관문을 열어주었다.

서은수의 침대 옆 작은 탁자 위에 핸드폰이 놓여있었다. 나는 핸드폰을 집어 들었다. 핸드폰 속 대화 목록은 매우 단출했다. 개인 간의 대화는 서은수의 엄마와 '이규태 대리'라는 사람이 전부였고, 이외에는 모두 업무 이야기가 오가는 회사 단체 대화방뿐이었다. 서은수는 외로운 사람이었을까? 핸드폰을 쥐고 있는 손이 괜히 시린 것 같았다.

서은수가 주고받은 문자 내용을 훑어보았다. '이규태 대리'는 서은수의 연인인 것 같았고, 최근 들어 가장 많이 만났던 사람 같았다. 그리고 서은수는 사망 당일 그녀의 엄마를 만나고 돌아온 것 같았다.

최초 발견자인 서은수의 직장동료는 두 손으로 얼굴을 감싼 채 부엌 구석에 주저앉아 있었다. 그녀는 서은수의 시신을 발견한 충격에 눈물을 흘리고 있었다. 나는 그녀에게 서은수의 평소 생활에 대해 물어보았다.

"평범한 회사원이었어요. 입사한 지 얼마 되지 않았고, 성실했어요."

그녀는 흐르는 눈물을 번갈아 닦아가며 말을 이어갔다.

"은수씨는 성격이 좋았어요. 잘 웃었죠. 그래서 동료들이랑도 문제없이 잘 지냈어요. 근데 자기 얘기는 잘 안 하는 사람이어서…… 은수씨 사생활에 대해 아는 사람은 거의 없을 거예요. 아, 규태씨는 알 거예요."

나는 서은수의 핸드폰 속 이규태에 대해 물어보았다.

"혹시 이규태라는 사람을 아십니까? 서은수씨와는 어떤 사이였죠?"

"이규태 대리는 은수씨 남자친구예요. 직장 선후배로 만났는데 얼마 전부터 둘이 만나기 시작했다고 들었어요."

그녀의 말에 의하면 이규태는 꽤나 다정한 사람이라고 했다. 서은수가 회사 생활에 잘 적응할 수 있도록 이규태가 많은 도움을 주었다고 했다.

"요즘 은수씨가 부쩍 공허한 표정을 짓고 있을 때가 많아서…… 그렇지 않아도 무슨 일 있는지 물어보려 했는데…… 이게 무슨 일이래요, 정말……."

말을 끝맺지 못한 그녀는 다시 울음을 터뜨렸다. 그녀의 말처럼 최근 서은수에게 무슨 일이 생겼던 걸까?

서은수의 직장동료를 돌려보내고 나는 천천히 집을 둘러보았다. 20대 여성의 집이라고 하기에는 무미건조하게 느껴졌다. 넓은 공간 안에 살아가는 데 필요한 최소한의 가구만 덩그러니 놓여있었고 그 흔한 인테리어 소품 하나 없었다. 왠지 모르게 허전하고 쓸쓸하게 느껴졌다.

소파 위에는 서은수의 가방이 놓여있었다. 그 안에는 다이어리가 들어있었다. 그리고 조금씩 끄적인 글들이 있었다.

'내가 없어도 괜찮을까? 나 혼자 도망쳤어…….'

내용을 정확히 알 순 없었지만, 어떤 죄책감 같은 것이 느껴졌다.

서은수의 집 거실 한쪽에는 가정용 로봇이 서 있었다. 이 로봇은 요새 가정에서 흔하게 사용되고 있었다. 사람을 아주 영리하게 도와주는 로봇이다. 부착하는 작은 칩을 통해 사람의 뇌 신호가 로봇에게 전달되는데, 로봇은 이 신호를 영상화하여 사람이 하는 생각을 함께 볼 수 있게 된다. 그러면 로봇은 영상을 토대로 사람이 필요로 하는 일을 대신해 주기도 하고 뇌 신호를 분석해 위험으로부터 사람을 지켜주기도 한다.

로봇의 모습은 사람과 매우 흡사했다. 170cm 정도 되는 키에 머리, 상체, 하체, 팔, 다리로 구분되어 있었고, 플라스틱과 유사한 윤택이 나는 흰색 특수소재로 뒤덮어져 있었다. 구부러져 있는 관절 틈새로 로봇의 뼈대인 은색 강철이 보였다. 눈, 코, 입도 매우 정교하게 만들어졌다.

이 가정용 로봇 덕에 사람들의 생활이 편리해졌다. 하지만 나는 때때로 이 로봇의 눈을 들여다볼 때면 섬뜩한 느낌이 들기도 했다.

"이 로봇은 녹화, 녹음 기능은 여전히 없겠지? 혹시 다른 기록 장치 같은 건 없을까?"

로봇을 바라보며 궁금증이 생긴 나는 동민을 불러 물었다. 이 로봇은 몇 년 전까지만 해도 불시의 상황을 대비해 녹화, 녹음 기능이 탑재되어 있었다. 하지만 당시 한 유명인이 가지고 있던 로봇의 시스템이 해킹당하며 유명인의 집안 생활 일부가 외부로 유출되어 큰 화제가 된 적이 있었다. 그 일 이후로 이 로봇은 녹화, 녹음 기능 탑재가 금지되었다.

동민은 로봇 등 뒤에 찍혀있는 회사 로고를 확인한 후 핸드폰을 들어 전화를 걸었다.

"선배님, 이 로봇 녹화, 녹음 기능은 여전히 탑재되어 있지 않다고 하네요. 다만, 로봇의 움직임에 대한 정보가 사람이 알 수 없는 좌표로 저장이 된다는데, 좌표를 변환하여 해석하려면 시간이 다소 걸린다고 합니다. 어떻게, 요청해 볼까요?"

사람을 돕는 로봇이라 사건을 해결하는 데 도움이 될 거로 생각하진 않았지만, 참고를 위해 나와 동민은 로봇의 움직임 정보를 요청하기로 했다.

서은수의 집 안에는 CCTV가 설치되어 있지 않았다. 나는 집 밖으로 나가 복도 천장을 살펴보았다. 저 멀리 복도 끝 천장에 CCTV가 달려있는 것을 보고 나와 동민은 곧바로 오피스텔 관리사무실로 향했다.

“정문 입구, 엘리베이터, 각 층에 CCTV가 설치되어 있고, 후문과 계단에는 설치가 되어있지 않아요. 그리고 사건이 일어난 그 층 CCTV가 며칠 전에 고장이 나는 바람에 녹화가 며칠째 안 되고 있었어요. 이걸 어쩜 좋나…….”

사건 당일 CCTV 영상을 요청한 나와 동민을 향해 건물관리인이 이야기했다. 건물관리인의 말을 종합해 보자면, 범인이 오피스텔 후문으로 들어와 계단을 타고 서은수의 집으로 들어가 범행을 저지른 후 똑같은 동선을 이용해 밖으로 나갔다면 CCTV에 찍히지 않은 채 사건 현장을 벗어날 수 있었다는 뜻이다. 하필 CCTV가 고장이라니…… 나는 머리가 지끈거렸다.

나와 동민은 서은수가 거주하는 층을 제외한 모든 CCTV 영상을 확인해 보았다. 서은수의 집을 방문할 만한 사람은 보이지 않았다. 하지만 사건 당일 정문 입구를 비추던 CCTV에 인상 깊게 보아야 할 장면이 찍혀있었다. 서은수였다. 서은수가 오피스텔 정문을 울면서 걸어 들어오고 있었다. 우는 얼굴을 숨기려 점퍼에 달린 모자를 푹 눌러썼지만, 눈물을 닦아내는 모습은 감춰지지 않았다. 그게 서은수의 살아있는 마지막 모습이었다. 서은수에게 무슨 일이 벌어지고 있었던 것이다.

나와 동민은 다시 위층으로 향했다. 이번에는 서은수의 집이 아닌 서은수의 옆집으로 향했다. 옆집 문을 두들기니 안에서 인기척이 들렸다. 곧이어 철컥 소리와 함께 한 여자가 문을 열고 나왔다. 서은수와 비슷한 또래로 보이는 여자는 겁에 질려 경계의 눈빛으로 쳐다보고 있었다.

"안녕하세요. 경찰입니다. 옆집에서 사망 사건이 발생해서요. 몇 가지만 여쭤봐도 될까요?"

그녀는 입고 있던 가디건을 여미며 고개를 끄덕였다.

그녀는 서은수를 모른다고 했다. 이웃이기에 가끔 출퇴근 길에 마주치면 어색하게 눈인사만 하는 사이였다고 했다. 어제부터 줄곧 집에 있었다는 그녀는 보통 때와 특별히 다른 것이 없었다고 했다. 여느 날과 같이 고요했는데 오늘 아침 밖이 시끄러워 나와보니 경찰들이 분주하게 다니고 있었다고 했다.

근데 그녀는 뭔가 주저하는 것 같았다. 말과 말 사이 알 수 없는 짧은 침묵이 흘렀다. 나와 동민의 질문이 끝나갈 무렵, 한참을 주저하던 그녀가 나에게 조심스럽게 물어왔다.

"혹시 그 옆집 여자 남자친구는 조사해 보셨어요?"

서은수도 잘 모른다는 그녀가 서은수의 남자친구인 이규태를 알고 있었다.

"이제 곧 만나러 갈 예정입니다. 왜 그러시죠?"

나의 물음에 그녀는 자신이 몇 달간 집 근처에서 본 이규태에 대한 이야기를 해주었다.

"그 커플을 종종 봤어요. 손을 잡고 다니길래 연인이구나 했죠. 어느 날은 오피스텔 입구에서 남자가 여자 신발 끈을 묶어주고 있더라고요. 굉장히 다정한 남자구나 생각했죠."

그녀는 나와 동민의 눈치를 차례로 살폈다. 그리곤 마른침을 삼키며 말을 이어갔다.

"제가 며칠 뒤에 쓰레기를 버리러 분리수거장에 갔는데 어디서 큰 소리가 들리더라고요. 그쪽으로 가보니까 어두컴컴한 공터에 옆집 여자랑 그 남자가 있는 거예요. 그 남자가 여자한테 막 소리를 지르고 있더라고요. 여자는 아무런 대꾸도 없이 앞에 가만히 서 있고요. 그러더니 그 남자가 자기 분을 못 이겼는지 여자 어깨를 막 밀치더니 결국에는 여자가 뒤로 넘어지더라고요. 제가 너무 놀라서 가서 도와줘야 하나 생각했는데 저한테 난처한 상황이 생길까 봐 그러지는 못하고, 그냥 몰래 계속 지켜보고 있었거든요. 얼마 뒤에 여자가 옷을 털면서 일어나는데 당황한 기색도 전혀 없고 옷을 추스르는 행동도 꽤 익숙해 보이더라고요."

그녀는 그 후에도 서은수와 이규태를 종종 보았다고 했다. 사람이 많은 거리에서는 서은수에게 다정하게 행동하는 이규태의 모습을 보고 소름이 돋았다고 했다. 그래서 자신은 오늘 아침 옆집에서 여자가 죽었다고 했을 때 그녀의 남자친구를 제일 먼저 떠올렸다고 했다.

"확실하진 않지만…… 제 생각에는 옆집 여자 데이트 폭력을 당하고 있었던 거 같아요."

분리수거장에서 서은수를 도와주지 못한 죄책감 때문이었을까. 그녀는 이규태에 대한 자세한 이야기를 조심스레 털어놓고 자신의 집으로 들어갔다.

이규태는 어떤 사람인 걸까. 서은수의 직장동료와 옆집 여자의 상반된 진술에 나는 머릿속이 혼란스러웠다.

나와 동민은 서은수가 사망한 당일 만났던 그녀의 엄마와 어쩌면 서은수와 원한 관계였을지도 모르는 이규태를 만나보기로 했다. 우리는 먼저 서은수의 남자친구인 이규태를 만나러 그녀의 직장으로 향했다. 서은수의 직장은 그녀의 집에서 그리 멀지 않았다.

서은수의 직장에 도착했다. 그녀의 사망 소식을 전해 들은 이규태는 한참을 울었는지 눈 주위가 온통 빨개져 있었다. 나는 이규태에게 서은수가 사망한 날 그녀를 만났었는지 물어보았다. 이규태는 그날 친구들과 여행을 다녀오느라 그녀를 만나지 못했다고 했다. 구체적인 알리바이를 묻는 내 질문엔 자신의 친구들이 확인해 줄 수 있을 것이라며 친구들의 전화번호를 내밀었다. 나는 동민에게 밖으로 나가 이규태의 알리바이를 확인해 보라고 지시했다. 그사이 나는 이규태에게 최근 서은수와 사이가 어땠는지 물어보았다. 이규태는 한 치의 망설임 없이 대답했다.

"은수랑 사이좋았어요. 은수랑 만나는 동안 크게 싸워본 적도 없고요. 저도 은수한테 늘 최선을 다했고, 은수도 그런 저한테 많이 고마워했어요."

무엇이 진실일까. 나는 고개를 갸웃하며 그에게 되물었다.

"최근에 이규태씨가 서은수씨를 밀쳐 넘어뜨리는 모습을 본 사람이 있어요. 그건 어떻게 된 일인가요?"

찰나의 순간이었다. 이규태는 당황하고 있었다. 눈의 초점이 흔들리던 이규태는 몇 초간 생각하는 듯했다. 그러더니 아무 일도 아니라는 듯 당당한 어투로 말했다.

"아 그거…… 은수가 사회초년생이라 모르는 게 많아서 제가 알려주는 과정에서 일어난 작은 해프닝이었어요. 은수가 말을 잘 못 알아들어서. 그렇게 큰일은 아니었고, 연인 사이에 흔하게 일어날 수 있는 작은 사랑싸움 같은 거였어요."

이규태는 자신이 서은수를 밀쳐 넘어뜨렸다는 것을 인정하고 있었다. 그리고 이 행동을 연인 간의 작은 다툼쯤으로 치부하고 있었다. 이규태의 표정과 말투, 내용에서 서은수를 향한 존중은 찾아볼 수 없었다.

옆집 여자가 말했던 것처럼 서은수는 이규태에게 데이트 폭력을 당한 것이다.

밖에서 통화를 마치고 들어오는 동민이 어두운 표정으로 얼굴을 끄덕이며 나에게 신호를 보냈다. 이규태의 알리바이가 확인되었다는 뜻이었다. 나는 이규태를 향한 찜찜함을 지울 수 없었지만, 더 이상의 혐의점을 찾을 수 없어 일단 자리에서 일어났다.

다음날, 나는 동민과 함께 서은수의 엄마를 만나기 위해 서은수의 본가로 향했다. 본가는 마당이 있는 주택이었다. 집 안에서 큰 소리가 나도 밖에서는 잘 들릴 것 같지 않았다. 서은수가 독립한 이후로 그녀의 부모만 이 집에서 살고 있다고 했다. 서은수의 본가는 어제 방문했던 그녀의 직장과 그리 멀지 않았다. 나는 서은수가 독립을 해야 했던 이유가 궁금했다.

나와 동민은 서은수의 본가로 들어갔다. 굉장히 오래된 집이었다.

발을 디딜 때마다 이따금씩 삐그덕하는 나무판자 소리가 들렸다. 집 안에는 작동이 되는지 의심스러운 오래된 연식의 가전과 가구들이 놓여있었다. 여러 생활용품이 정리되지 않은 채 곳곳에 쌓여있었다. 창문마다 커튼이 쳐져 있었다. 그래서인지 집 안이 어둡고 춥게 느껴졌다. 꼭 속이 텅 빈 껍데기 속으로 들어온 기분이었다. 온기가 머무를 수 없는 집, 서은수의 집에서 느꼈던 그 기분을 그녀의 본가에서도 느낄 수 있었다.

서은수의 엄마는 벽에 위태롭게 기대 서 있었다. 그녀는 하나밖에 없는 외동딸의 죽음으로 몸과 마음이 모두 무너진 것처럼 보였다. 머리는 헝클어져 있었고 눈에는 초점이 없었다. 한잠도 못 잔 것인지 피부도 거칠었다. 그리고 한쪽 눈에는 알 수 없는 희미한 멍 자국이 남아 있었다.

그녀는 희미한 목소리로 나에게 범인을 잡았는지 물어보았다. 나는 최선을 다해 조사 중이라고 대답했다. 나는 서은수의 엄마에게 서은수가 사망한 당일 그녀를 만났었는지, 그리고 무슨 일이 있었는지 물어보았다.

"은수가 두 달에 한 번씩 집엘 왔어요. 그날도 2달 만에 은수가 집에 온 날이었죠. 집에 와서 저랑 1시간 정도 있다가 자기 집으로 돌아갔어요."

1시간? 2달 만에 집에 왔는데 1시간이라고? 나는 서은수의 짧은 체류시간에 의문이 들었다.

"집에서 특별한 일은 없었나요? CCTV를 확인해 보니 그날 서은수씨가 울면서 집으로 돌아왔더라고요. 밖에서 무슨 일이 있었던 것 같은데…….”

나의 말에 그녀의 엄마는 조금 놀라는 것 같았다. 그리고는 자신이 해야 할 말을 고르는 것 같았다. 서은수의 엄마에게서 어제의 이규태의 모습이 언뜻 겹쳐 보였다.

서은수의 엄마는 어렵게 말을 이어갔다. 서은수의 엄마는 그날 딸과 남편 사이에 작은 말다툼이 있었다고 했다. 그래서 서은수가 집으로 돌아가면서 울었을 거라 했다.

서은수는 25살이었다. 아빠와의 작은 말다툼으로 성인 여성이 길거리에서 울음을 터뜨리진 않는다. 나는 서은수 엄마의 한쪽 눈에 든 멍 자국이 자꾸만 신경 쓰였다. 분명 이 집에서 더 큰 일이 있었을 것이다.

“어머니, 혹시 눈에 있는 멍은 왜 생기셨나요?”

내 말을 들은 서은수의 엄마는 머리를 넘기는 척하며 손으로 멍을 가리려 했다. 그러더니 곧 눈에 눈물이 차올랐다.

“우리 바깥양반이 일이 잘 안 풀려서…… 힘들어서 그래요…… 나쁜 사람은 아니에요…….”

서은수의 엄마는 한참 동안 눈물을 흘렸다. 얼마 후 진정이 된 그녀는 나에게 그날의 이야기를 들려주었다.

서은수가 사망한 날에 서은수의 엄마는 남편으로부터 폭력을 당하고 있었다. 그때 서은수가 본가로 들어왔다. 아빠에게 맞고 있는 엄마를 본 서은수는 엄마를 보호하기 위해 엄마를 끌어안았다. 아빠는 폭력을 멈추지 않았고 그렇게 서은수와 그녀의 엄마는 한동안 그녀의 아빠에게 폭력을 당했다. 폭력이 잦아들 때쯤 아빠는 집을 나갔고, 서은수의 엄마는 그제야 서은수와 짧은 이야기를 나누었다.

"아빠가 너 독립하는 걸 반대했었잖아. 본가로 다시 들어오는 건 어때? 아빠 일이 잘 안 풀리나봐. 이럴 때일수록 우리가 아빠를 더 잘 챙겨야지."

그 말을 들은 서은수는 그녀의 엄마를 한동안 말없이 바라보다 본가를 뛰쳐나갔다고 한다.

서은수와 그녀의 엄마는 그녀의 아빠로부터 가정폭력을 당하고 있었던 것이다.

오랜 기간 지속된 폭력으로 서은수의 엄마는 판단력이 흐려진 듯했고 무기력한 모습이었다. 그래도 그렇지, 폭력으로부터 지켜주지는 못할망정 폭력으로부터 달아난 딸을 다시 집으로 들어오라고 하다니…… 서은수의 마음이 어땠을지 짐작 가지 않았다.

나는 서은수의 사망 추정 시간에 부모의 알리바이를 물었다. 알리바이를 묻는 나의 질문에 그녀는 당황하며 나에게 되물었다.

"설마 우리를 의심하는 거예요? 우린 은수의 부모라고요. 우리가 은수를 해칠 리가 없잖아요."

나는 서은수 엄마의 모순적인 말에 아무런 대답을 할 수가 없었다. 서은수의 부모는 서은수의 사망 추정 시간에 함께 집에 머물렀다고 했다. 서은수의 엄마와 대화를 나누던 중 집에 돌아온 서은수의 아빠를 통해 그들의 알리바이를 최종적으로 확인할 수 있었다.

나와 동민은 서은수의 본가에서 빠져나와 경찰서로 돌아가기 위해 차에 올랐다. 외로웠던 핸드폰 대화 목록, 허전하고 쓸쓸했던 집, 다이어리에 적힌 알 수 없는 죄책감까지…… 나는 외롭고 고통스러웠을 서은수의 인생이 눈앞에 그려지는 것 같아 한동안 말을 이어갈 수 없었다.

어느덧 사건이 발생한 지 5일이 흘렀다. 서은수 사건의 유력한 용의자는 아직 밝혀내지 못했다. 경찰서 내에서는 이 사건이 밀실 살인사건이라는 소문까지 돌기 시작했다. 나는 사건의 실마리를 찾지 못해 계속 방황하고 있었다.

그때였다. 사무실로 전화 한 통이 걸려 왔다.

"안녕하세요, 가정용 로봇 제작 회사입니다. 지난번에 요청하셨던 서은수씨 로봇의 움직임 정보 변환이 완료되어서 내용을 전달해 드리려 하는데요, 저희가 서은수씨 집에 있는 로봇도 회수해야 해서, 혹시 서은수씨 집에서 좀 뵐 수 있을까요?"

"네, 그럼 서은수씨 집에서 뵙죠."

통화를 끊은 나는 동민과 함께 서은수의 집으로 향했다. 서은수의 집에 도착하니 로봇 회사 직원이 먼저와 기다리고 있었다. 우리는 그와 함께 서은수의 집으로 들어갔다. 로봇 회사 직원은 우리가 요청했던 정보를 알려주기 위해 가방에서 노트북을 꺼내 식탁 위에 펼쳐놓았다. 그러고는 변환된 정보를 보며 서은수의 로봇이 취했던 다양한 움직임에 대해 우리에게 해석해 주었다.

"1cm 정도의 얇은 물건을 오른손에 쥐었는데 손에 압력은 거의 없었고, 위치 좌표는 다용도실에서 화장실로 이동했네요. 이건 아마 로봇이 주인에게 세탁 완료된 수건을 가져다준 걸 거예요. 냉장고 문을 열었다가 닫고 10cm 정도의 물건을 오른손에 쥐었는데 손에 압력이 어느 정도 있었네요. 그리고 위치 좌표는 주방에서 거실로 이동했네요. 이건 아마 컵에 마실 것을 따라 주인에게 가져다준 걸 겁니다."

로봇 회사 직원의 해석은 한참 동안 이어졌다. 우리는 직원의 말을 들으며 로봇이 서은수를 얼마나 도왔는지 알 수 있었다.

역시 로봇은 사건 해결에 도움이 되지 못했다. 더는 시간 낭비 같았다. 나는 동민에게 이제 그만 경찰서로 돌아가자는 신호를 보냈다. 그렇게 동민과 서은수의 집을 나설 채비를 하고 있었다.

그때, 모니터를 바라보고 있던 로봇 회사 직원이 고개를 갸우뚱하며 말했다.

"로봇의 마지막 액션이…… 이게 뭐지?"

나는 로봇 회사 직원에게 되물었다.

"왜, 뭐가 문제가 있습니까?

로봇 회사 직원이 대답했다.

"로봇의 거의 마지막 동선이 거실에서 침실인데요, 60cm의 물건을 양손으로 들고서 침실로 이동을 해서…… 약 3분간 엄청나게 큰 압력으로 누른 것 같은데…… 이게 뭘까요?"

나는 순간 등이 서늘해졌다. 귀에서는 이명이 들리는 것 같았다.

나는 천천히 거실 쪽을 바라보았다.

서은수의 거실 소파 위에 너비 60cm 정도의 쿠션이 올려져 있었다.

*

윙. 화면에 문구가 뜬다.

'시스템 부팅 중. 사용자의 이름을 입력하세요.'

타닥타닥타닥.

'서 은 수'

눈앞이 환해졌다. 모자를 쓴 남자와 키가 작고 아담한 여자가 서 있다. 남자는 여자에게 무언가 말을 하고 있다. 이야기를 들은 여자는 이윽고 귀 뒤에 작은 칩을 붙인다.

칩과 연결된다. 내 앞에 서 있는 여자가 나의 주인이다. 그녀의 이름은 '서은수'이다.

그녀의 뇌 신호가 입력된다. 나는 뇌 신호를 통해 그녀가 하고 있는 생각을 볼 수 있다. 그리고 뇌 신호를 통해 그녀의 신체 변화를 감지하여 위험으로부터 그녀를 보호한다.

나는 나의 주인인 서은수가 원하는 것을 대신해 주고 그녀의 안전을 지키기 위해 존재한다.

2035년 4월

아침이다. 그녀는 출근하기 위해 준비 중이다. 그녀는 아침마다 커피를 마시길 원한다. 그녀의 몸에 카페인이 들어가면 그녀의 신체 에

너지가 일시적으로 높아지는데, 그녀는 이런 신체 변화에 중독되어 있다. 커피를 마시고 싶단 그녀의 생각을 본 나는 그녀를 위해 커피를 준비한다.

늦은 저녁이다. 그녀가 퇴근하여 집으로 돌아왔다. 스트레스 수치가 아침보다 높다. 하지만 나는 그 이유를 알 수 없다. 그녀는 잠들기 전 그날 있었던 일을 머릿속으로 되새기는 습관이 있다. 나는 그제야 오늘 그녀에게 있었던 일들을 볼 수 있다. 그리고 그녀가 피로했던 이유를 알 수 있다.

그녀는 벌레를 무서워한다. 벌레가 나타나면 스트레스 수치가 급격하게 높아지고 벌레가 눈앞에서 사라지길 바란다. 그 생각을 본 나는 그녀에게 스트레스를 주는 벌레를 잡아 죽인다. 그러면 스트레스 수치는 금방 정상으로 회복된다.

어떠한 형태로든 나의 주인인 서은수를 위협하는 모든 존재는 나의 제거 대상이 된다.

2035년 6월 22일 금요일.

늦은 저녁 서은수가 집으로 돌아왔다. 눈에 초점이 없는 그녀는 나를 지나쳐 불이 꺼진 거실 바닥에 주저앉는다. 불을 켜고 싶지 않아 하는 그녀의 생각에 나는 거실 불을 켜주지 않았다. 그녀는 습관처럼 오늘 있었던 일을 머릿속에서 되새기고 있다. 그녀는 오늘 그녀의 남자친구를 만났다. 어두운 공터에서 그녀의 남자친구는 그녀를 향해 소리를 지르고 있다. 화를 주체하지 못한 그는 이윽고 그녀의 어깨를 여러 번 밀쳤다. 그러고는 결국 그녀를 넘어뜨렸다.

그녀를 향한 남자친구의 폭력은 몇 달 동안 계속되고 있다. 그리고 점점 더 심해지고 있다. 남자친구의 공격은 곧 그녀를 위험에 빠뜨릴 것이다. 그녀를 위협하는 그는 내가 제거해야 할 대상이 되었다.

하지만 그녀는 나와 다른 결론을 내었다.

'그 사람이 가끔 과격하게 행동할 때가 있지만 나를 생각해 주는 사람은 그 사람밖에 없으니까…… 날 위해서 해주는 이야기인데 그 사람 말을 더 잘 들었어야 했어…… 앞으로는 그 사람 화나지 않게 더 잘해야 해…….'

자신은 폭력을 당해도 마땅하다고 생각하고 있다. 자신에게서 폭력의 원인을 찾고 있다. 남자친구가 자신에게 행사한 폭력을 정당화하고 있다. 자신에게 가해지는 폭력을 스스로가 용납하고 있다.

그 순간 그녀의 뇌 신호가 강하게 요동친다. 엄청난 통증이 생성된다. 그녀는 감당할 수 없는 고통을 스스로에게 주고 있다.

나는 서은수가 의심스럽다.

2035년 7월 15일 일요일.

아침 일찍 집을 나섰던 서은수가 집으로 돌아왔다. 그녀는 울고 있었다. 그 후로도 한참을 거실에 앉아 서글피 울고 있다. 눈물을 닦을 휴지를 찾는 그녀의 생각에 나는 휴지를 가져다주었다.

오늘 있었던 일들을 머릿속에서 되새기고 있다. 그녀는 오늘 본가에 다녀왔다. 그곳에서 얼굴에 멍이 든 그녀의 엄마를 바라보고 있다.

그녀의 엄마 앞에는 분노에 온몸을 떠는 그녀의 아빠가 서 있다. 그녀의 엄마를 향해 그녀의 아빠가 손을 들어 올렸다. 그녀는 놀라 달려가 엄마를 감싸안았다. 들어 올린 아빠의 손은 그녀의 뒷머리를 내리쳤다. 그렇게 그녀와 그녀의 엄마는 그녀의 아빠에게 폭력을 당하고 있다. 그녀는 그녀의 엄마와 마주 앉아 있다. 그녀의 엄마는 그녀에게 집으로 돌아오라고 말하고 있다. 그녀는 그런 엄마를 한동안 말없이 바라보고 있다.

그녀의 부모는 오랜 시간 그녀에게 고통을 주어왔다. 그녀의 아빠는 늘 폭력을 휘둘렀고, 그녀의 엄마는 그런 아빠에게서 그녀가 벗어날 수 없도록 그녀를 계속 붙들었다. 이미 오래전부터 그녀에게 위협이 되는 존재들이었다. 특히 그녀의 아빠는 곧 그녀를 다치게 할 것이다. 그녀를 위협하는 그는 내가 제거해야 할 대상이 되었다.

하지만 그녀는 또다시 나와 다른 결론을 내었다.

'내가 독립을 해서 엄마만 더 힘들어졌어…… 나 때문에 상황이 더 안 좋아진 거야…… 이제라도 아빠 말을 들으면 아빠가 화를 덜 내지 않을까? 내가 다시 집으로 들어가야겠어…… 그래야 우리 가족이 행복해질 수 있어…….'

자신의 잘못 때문이라며 아빠의 폭력을 정당화시키고 있다. 잘못된 죄책감을 만들어내고 있다. 자신에게 고통을 주는 사람들을 이해하고 있다. 다시 그 고통의 자리로 돌아가려 한다.

그 순간 그녀의 뇌 신호가 또 한 번 강하게 요동친다. 스트레스와 우울의 정도가 위험 수준을 넘어섰다.

서은수의 아빠와 남자친구는 그녀에게 위협을 가하는 존재이다. 그녀는 그런 아빠와 남자친구가 자신의 눈앞에서 없어지길 바라거나 다시는 만나지 않아야 한다. 그것만이 그녀 자신을 위한 유일한 길이다. 하지만 그녀는 자신에게 위협을 가하는 존재를 이해하고 그 공격을 인정한다. 공격의 원인을 자신에게서 찾고 스스로를 비난한다. 그녀는 스스로에게 끊임없이 고통을 주고 있다. 그리고 이런 일은 서은수와 지낸 오랜 기간 동안 끊임없이 반복됐으며, 앞으로도 그럴 것이다.

서은수는 스스로를 파멸시키고 있다.

나의 주인인 서은수에게 위협을 가하는 모든 존재는 나의 제거 대상이다.

내가 오늘 제거할 대상은, 나의 주인인 서은수이다.

*

가정용 로봇에게 죽임을 당한 서은수의 사건은 사회적으로 큰 이슈가 되었다. 사람을 죽일 수도 있다는 사실에 로봇은 한순간 공포의 대상이 되었고, 그로 인해 가정에 있던 로봇은 모두 회수되었다. 그리고 로봇에게 살해당할 수밖에 없었던 서은수의 이야기가 세상에 공개되며 많은 이들의 안타까움을 자아냈다. 자신을 해치려는 사람까지도 사랑하고자 했던 그녀의 착한 심성 때문에 억울한 죽임을 당한 것이라며 애통해했다.

하지만 서은수의 죽음으로 가족, 배우자, 연인 사이에 '사랑'이라는 이름으로 포장되어 가해지고 있는 여러 형태의 폭력과 학대들이 수면 위로 떠올랐다. 사람들이 깨달았고 주위를 살폈다. 그리고 아무도 알 수 없는 곳에서 혼자 오롯이 고통을 감내하고 있던 서은수와 같은 피해자들을 찾아내고 구해냈다. 서은수의 죽음으로 세상이 바뀌고 있었다.

나는 서은수의 봉안당을 찾았다. 그리고 준비한 꽃을 그녀 앞에 내려놓았다. 안치단 사진 속 해맑게 웃고 있는 앳된 그녀의 얼굴이 나의 마음을 먹먹하게 만들었다.

폭력을 행사하는 아버지와 남자친구에게서 있는 힘껏 도망치라고, 그 폭력을 정당화하는 어머니에게 죄책감 따위는 갖지 말라고, 당신이 보살펴야 할 사람은 가해자가 아닌 바로 당신 자신이라고 누군가 이야기해 줬다면, 서은수는 지금 세상 어딘가에서 못다 핀 인생을 살아가고 있지 않을까?

나는 사건 현장에서 처음 본 서은수의 평온한 얼굴이 떠올랐다. 나는 그녀가 고통스러웠던 이곳을 떠나 아픈 상처도, 기억도 없는 곳에 도착했길, 그리고 그곳에서 그녀의 안녕을 빌었다.

산책 - 치유의 시간

이현정(풀꽃화가)

이현정(풀꽃화가)

에세이작가, 산책전문가, 화가

시골에서 태어나고 화단이 넓은 주택에서 어린 시절을 보냈다. 봄, 여름, 가을, 겨울 엄마의 화단에서 텃밭에서 식물이 자라는 걸 보며 자랐다. 용인 석성산 아래 사는 나는 지금도 그때가 그리워 매일 동네 산책을 다닌다.

instagram: @hyunjung.lee.5268

blog: blog.naver.com/brush1214

email: brush1214@naver.com

산책 – 사색의 시간!

새벽에 눈을 떴다.

오늘은 또 어디로 산책을 가볼까?

[자세히 보아야 예쁘다.

오래 보아야 사랑스럽다.

너도 그렇다.]

시인 나태주님의 시처럼 나는 '풀꽃관찰'을 좋아한다. 그래서 나는 사계절 매일 산책을 한다. 내가 시골에서 태어나고 어린 시절의 추억이 많아서인 것 같다. 강산이 다섯 번 변하고 몇 년이 더 지났다. 추억은 나의 기억의 전부를 차지한다. 그곳은 항상 그리움이다.

나는 왜 매일 산으로 산책을 가는 걸까?

2024년 입춘이 지난 2월 어느 날!

다시 밤새 눈이 내렸다. 소나무, 주목나무가 하얗게 옷을 입었다. 멀리 동네 석성산이 설악산 처럼보인다.

남편 J가 석성산 정상에 가자고 한다. 마음 속으로 순간 주춤거렸다. 나는 평소에도 산 정상은 잘 안간다. 그냥 내 체력이 되는 정도, 산중턱까지만 가서 내려 오는 편이다. 가며 오며 풍경이나 눈에 들어 오는 식물을 휴대폰 사진으로 찍기도 한다. 가끔 감동을 주는 식물이나 자연 친구들을 가볍게 드로잉 하기도 한다. 그래서 굿이 산 정상까지 가지 않아도 두 세시간이 걸린다. 내게는 충분히 운동이 되는 산책 시간이다.

산보다 바다를 더 좋아하는 그의 모처럼 제안에 산 정상까지 가기로 용기를 낸다. 눈이 하얗게 쌓였다. 용인 석성산 산길을 J와 처음 간다. 나는 또 그렇게 새로운 풍경을 마음에 담으러 나선다. 맑은 겨울 하늘과 상쾌한 아침 공기가 출발을 응원한다. 산 입구에서 아이젠을 장착하고 스틱을 짚으며 걷기 시작한다. 녹기 시작하는 흙위에 젖은 낙엽과 눈이 소복이 쌓여 아이젠도 별로 도움이 안 된다. 나는 그냥 가다가 둘레길에서 돌아올 생각이었다. 그래서 가벼운 마음으로 나선 길이었다.

눈에 덮여 등산길이 잘 구분이 안 간다. J는 아무도 밟지 않은 하얀 눈 위에 발자국을 남기며 오른다. 나는 그 뒤를 조심히 따른다. 둘레길 구분이 어려워 수직으로 오르다 보니 길이 가파르고 험하다. 온몸에 땀이 나고 숨이 차오른다. 나는 이 거친 나의 심장 박동소리가 좋다. 아무도 밟지 않은 길을 가고자 한 마음의 선물이다. 산을 오르면 오를

수록 주위의 멋진 풍경에 저절로 감탄이 쏟아진다. J와 나는 걸음을 멈추고 한참을 감상한다. 우리는 수묵화 속으로 점점 깊이 들어간다. 처음 가보는 눈꽃 풍경이 멀리 설악산에 온 듯 멋지다. 석성산의 새로운 얼굴이다.

산책은 내게 매일 매일 치유의 시간이다.

오늘은 나의 산책이야기를 시작 하고자 한다.

 봄이 되고 겨울이 지나고 다시 봄이 오고 있다. 나는 오늘도 봄을 기다리며 겨울숲으로 산책을 간다. 2월 세째주 또 오후 몇시간 폭설이 내렸다.

나도 처음부터 산책을 좋아 했던 건 아니다.

대학에 입학하고 지방의 작은 소도시를 떠나 서울생활이 시작되었다. 학교를 졸업하고 직장을 다니던 어느날 내게 빈혈이라는 이유로 향수병이 찾아 왔다. 서울생활 10년이 되어 가던 때였다. 이유도 없이 시름시름 아팠다. 직장을 마치고 자취방으로 퇴근을 하면 주인집 거실에서 부터 내방까지 갈 기운이 없었다.

디스플레이 디자이너로 바쁘게 일하던 도중 현장에서 작은 사고가 있었다. 쓰러지고 병원에 옮겨 졌다. 병명은 극도의 빈혈이었다. 수치가 위험 수위 보다 낮았다. 혼자 일하고 생활하다 보니 바쁘다는 핑계로 골고루 잘 챙겨 먹지 못한 것이 원인이었다.

나는 병원에서 그렇게 나의 본가로 도망쳤다. 지방의 작고 깨끗한 소도시였다. 부모님 곁으로 오니 긴장했던 마음이 풀려서인지 그때부터 기운이 없어서 일어날 수가 없었다. 그냥 방 바닥에 낙지처럼 붙어 누워만 있었다.

1년이 지난 어느 봄날이었다. 처음으로 부모님댁 주택 대문을 열고 골목으로 나갔다.

따스한 햇살이 젖은 빨래를 말리듯 기분이 좋아다.

대문 건너편 전봇대 주위에 보라색 풀꽃들이 눈에 들어 왔다. 처음 보는 이쁜 풀꽃이었다. 내가 풀꽃들에게 관심을 갖게 된 본격적인 시작이었다. 나중에 시간이 한 참 흐른 후 그 풀꽃은 배초향, 꽃향유 같은 종류였다는 것을 알게 되었다.

나의 20대 후반! 동네산책은 그렇게 시작되었다.

나의 오랜 연인

내겐 세 명의 애인이 있다. 석성산, 향수산, 할미산성!

우리 동네 뒷산들은 나의 오랜 친구요, 영원한 애인이다.

석성산은 집 동쪽에 위치하는 보물산이다. 그 놀이터에서 식물 친구들과 놀다 보면 두세시간이 금방 간다. 봄이면 향긋한 생강나무꽃이 제일 먼저 노랗게 핀다. 산 속에서 숨은그림찾기를 한다. 멀리서 보면 생강나무꽃은 동네에서 피는 산수유꽃과 닮았다.

여름에 폭우라도 내리면 마른 바위 틈으로빗물이 흐르는 나안의 비밀계곡이 생긴다. 비온 다음날은 석성산 여기 저기에 이름 모르는 버섯들이 하얗게, 노랗게 올라 온다. 먹을 수는 없다. 나는 버섯은 아직 잘 모른다. 풀은 가끔 모험을 해 먹어 보기도 하지만 버섯은 아직 두렵다. 가을에는 사람들이 잘 다니지 않는 오솔길에 밤송이들이 떨어져 있다. 호기심으로 몇 알을 주워 오기도 한다. 작년에는 산책할 때마다 한 주머니씩 주워 모아 삶아 먹기도 했다. 그 맛은 시장이나 마트에서 파는 크기가 큰밤과는 비교도 안되는 꿀맛이었다. 겨울에는 석성산의 속살을 다 보여 주어 산책하기가 참 좋다. 여름에 감추어 궁금했던길들도 마음껏 돌아 다녀 본다.

바쁠 때는 잠시 석성산 입구까지만 가서 얼굴만 보고 온다. 날씨가 좋거나 시간이 날때는 산 정상까지 가서 깊은 사랑을 나누고 오기도 한다.

나는 하루라도 산에 가지 않으면 마음에 '가시'가 생긴다. 그 가시는 뾰족한 끝으로 나의 영혼을 공격한다. 식물의 가시처럼 나를 방어하거나 예민해지는 물질이다. 나는 몸과 마음의 치유를 위해 매일 산으로 간다.

나는 평소에는 다른이들처럼 산 정상까지 가지 않는다. 그저 내가 갈수 있는 시간과 체력이 허락하는 만큼 간다. 산중턱까지가서 자연친구들을 만나고 체조를 하고 눈도장을 찍는다.

'향수산'은 작업실 뒤에 있는 산이다. 멀지만 조용하고 편안한 산책길이다. 동네 사람이나 전문 산악인이 아니면 모르는 길이다. 입구에 터널을 두개나 지나서 가야한다. 하지만 산길에 들어 서면 오로지 새소리만 들리는 조용한 숲길이다. 사색하고 오기에 좋은 산이다. 주말에도 사람들이 없어서 아직 두렵다. 가는 내내 하늘도 보고, 굴참나무도 만나고, 산초나무 향기도 맡다 보면 왕복 5시간 정도 걸린다. 가끔 마음껏 걷고 싶을때는 향수산으로 간다.

'할미산성'은 선장산에 있는 산성이다. 향수산으로 가는 갈림길에서 오른편으로 가면 만난다. 왕복 두시간 거리의 내게는 가벼운 코스다. 산 정상이 넓어서 답답했던 마음이 뻥 뚫리는 기분을 느낄 수 있다. 봄에는 초록 벌판으로, 가을에는 은빛 물결 억새 풍경이 멋지다. 할미산성에 앉으면 멋진 석성산이 보인다. 그들은 나의 멋진 애인들이다.

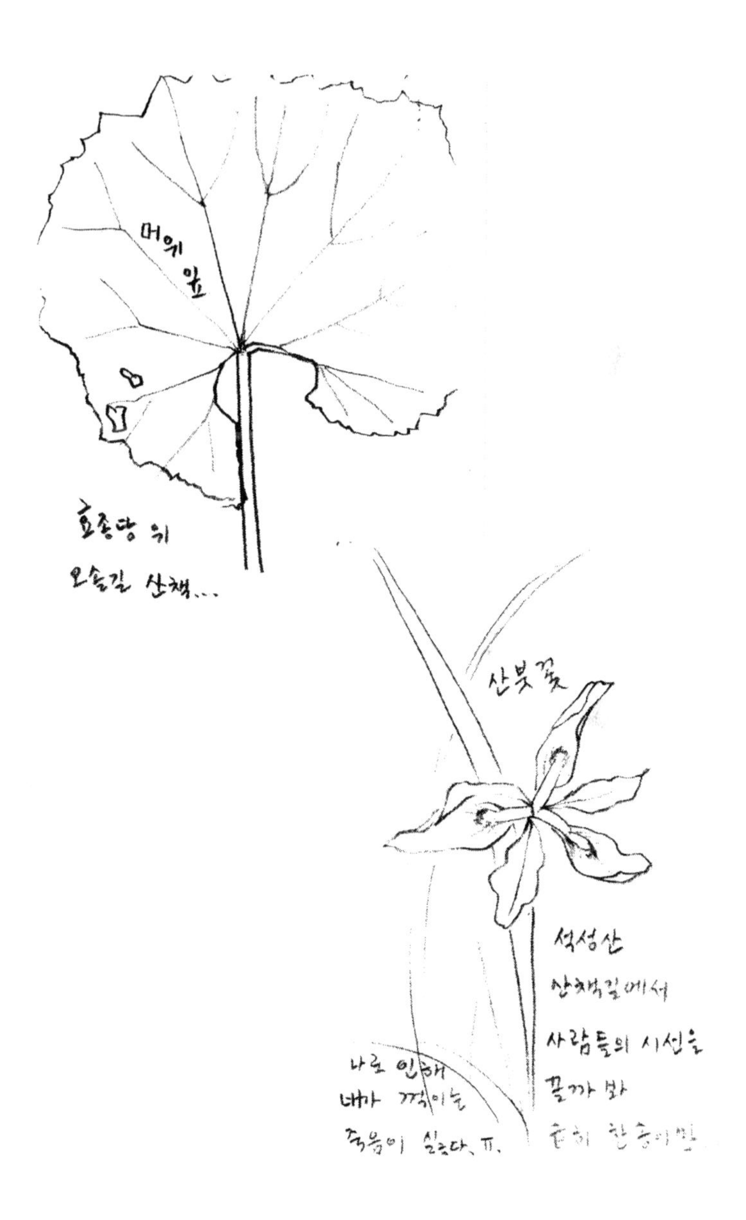

머위 잎
효종당 위
오솔길 산책...
산붓꽃
석성산
산책길에서
사람들의 시선을
끌까 봐
나로 인해
내가 꺾이는
죽음이 싫다. ㅠ.

뜻밖의 만남 윤슬!

행복은 멀리 있다고 생각했다.

비 내린 다음날 어느 아침. 집 뒤의 작은 호수에서 '윤슬'을 만났다.

이른 아침부터 게으름을 부리다가 의무감으로 산책을 나갔다. 현관문을 나서는 것이 항상 제일 어렵다. 내면의 끝없는 유혹이 시작된다.

"오늘은 그냥 쉬어!" 게으름의 유혹이다.

"아니야, 상쾌한 아침을 만나러 가야지!" 씩씩한 나의 마음이다. 결국은 씩씩한 내가 이겼다.

산으로 가는 것은 포기하고 그냥 가볍게 동네 산책을 하기로 한다.

매일 매일 나의 작은 루틴이다.

한 바퀴 천천히 걸으며 산책하는데 3분이면 되는 작은 호수다. 사실은 아파트가 들어서기 전부터 있던 동네 농지용 저수지인 것 같다. 하지만 나는 그를 '작은 호수' 라고 부른다.

내겐 진정 작은 호수 산책길이다.

날씨가 제법 쌀쌀하다. 내일부터는 조금 더 두꺼운 겉옷을 입어야겠다는 생각이 든다. 산책길에 솔잎들이 빛바랜 잎들을 떨군다. 요즘은 산길이 아닌 곳은 흙길이 잘 없다. 내겐 소중한 산책길이다.

어떤 감동을 받으려고 욕심을 내면, 자연은 내게 아무런 영감을 주지 않는다. 산책을 하며 글쓰기 소재를 찾으려고 하면 잡다한 생각들만 떠오른다. 그냥 건강을 위해 호수를 세바퀴 돌기로 한다. 하늘도 한번 보고, 조각구름도 보고, 길가의 애기똥풀 꽃은 추운 날씨에 아직도 노란 꽃을 피우고 있다.

이미 해가 높이 떴다. 미처 선글라스를 안 챙겨서 눈부신 햇살을 애써 외면했다. 쿨 마스크와 모자로 얼굴을 전부 가렸다. 기미와 눈 보호를 위한 것이다.

그러다가 문득 호수 수면 위에 비친 햇살을 보았다. 갑자기 반갑다는 듯이 반짝거리며 내게 손짓을 한다. 가슴이 설렌다. '윤슬' 이다.

사전을 찾아보니 〈햇빛에 반짝이는 잔물결〉이라고 나와있다.

너를 보러 힘들게 남편의 도움을 받아 멀리 인천 제부도 옆 탄도항까지 가서 보고 온 '윤슬' 이 우리 집 뒤에 살고 있었다. 순간 울컥한다. 행복은 멀리 있는 것이 아니라 항상 내 옆에 있다.

나의 사랑 석성산! - 첫눈 내리는 날!

첫눈이 내리는 11월 어느날 아침이다.

나는 눈이 온다는 소식을 듣고 스틱을 챙겨 혼자 뒷산으로 향한다.

석성산 숲으로 가는 길에 노란 은행잎이 다 떨어졌다.

'주목나무' 빨간 열매는 어느새 흔적도 없이 사라졌다.

나는 숲길 산책을 좋아한다. 계절의 변화, 상쾌한 공기, 아침 서리, *붉은머리오목눈이, 짙어가는 늦가을, 푸른 하늘, 잎을 떨구는 참나무들과 자연 친구들 모두 사랑한다. 밤새 풀숲 여기저기에 까만 초코볼을 닮은 고라니 흔적들이 보인다.

나도 매일 초록숲에 살고 싶다.

석성산 중턱에 도착할 즈음 눈발이 거세게 몰아친다. 점점 강하게 흩날린다.

예년보다 보름 빨리 첫눈이 온 것이다.

눈이 온다는 소식 덕분인지 숲에는 아무도 없다. 도망가는 고라니도, 산새도, 인간들도 보이지 않는다. 숲은 온전히 내 것이 된다.

숲에서 바람에 흩날리는 눈을 보며 행복해하는 나는 마치 사랑에 푹 빠진 것 같은 기분이다.

오늘도 늦가을 속 사랑을 찾아 석성산으로 산책을 간다.

*붉은머리오목눈이: '뱁새'로 불리는 눈이 까만 참새보다 작고 귀여운 작은새!

멧비둘기와 숨바꼭질!

석성산 중턱에서 산비둘기를 만났다. 나의 인기척에 숲으로 몸을 피한다.

낯설다.

사람을 두려워하지 않는 도시 비둘기들만 보다가 숲으로 도망을 가는 산비둘기는 신기하다.

아마 사람이 익숙하지 않는것 같다. 익숙하지 않는 것은 두렵다. 모르기 때문이다.

나는 멋진 커피숍에서 친구들과 차를 마시는 것보다 산에서 숲에서 시간을 보내는 것이 더 좋다.

산은 내게 고향이다.

어린 시절의 추억, 행복했던 시간이 떠오른다. 산은 내게 그리움이다.

오랜만에 석성산 겨울산을 둘러본다.

잎이 떨어져 나간 '누리장나무' 엽흔(葉痕)을 만났다. 귀여운 얼굴을 하고 있다.

푸른 진주를 닮은 열매는 흔적도 없이 사라졌다.

'아까시나무' 무서운 가시 사이에 숨어 있는 새순을 만났다 .

두더지 흔적! 매화꽃 꽃봉오리! 모두 봄이 올때까지 잘 기다린다.

나는 또 어디로 떠나볼까?

우수(雨水)에 내리는 봄비!

봄비가 내리는 아침이다.
석성산은 안개에 덮여 있다.
산오름 근린공원 숲길을 지나
동백도서관으로 산책을 간다.

아직 날씨가 쌀쌀하다.
매화나무도 꽃봉오리를 닫고 있다.
동백호수 공원은 겨우내 꽁꽁 얼었던 호수가 완전히 녹았다.
호수 위를 야생오리들이 유영(遊泳) 한다.

돌아오는 산책길에서
명자나무 꽃봉오리가 귀엽게 웃는다.
자연은 봄을 준비하고 내 마음에도 봄이 오고 있다.

삶은 계획대로 되지 않는다.
살다 보면 누구에게나 슬픈 비밀 하나 쯤 있다.
나는 이제 그 비밀에 날개를 달아 태양을 향해 날려 보내려 한다.
빛나는 보석이 되기를 꿈꾸어 본다.

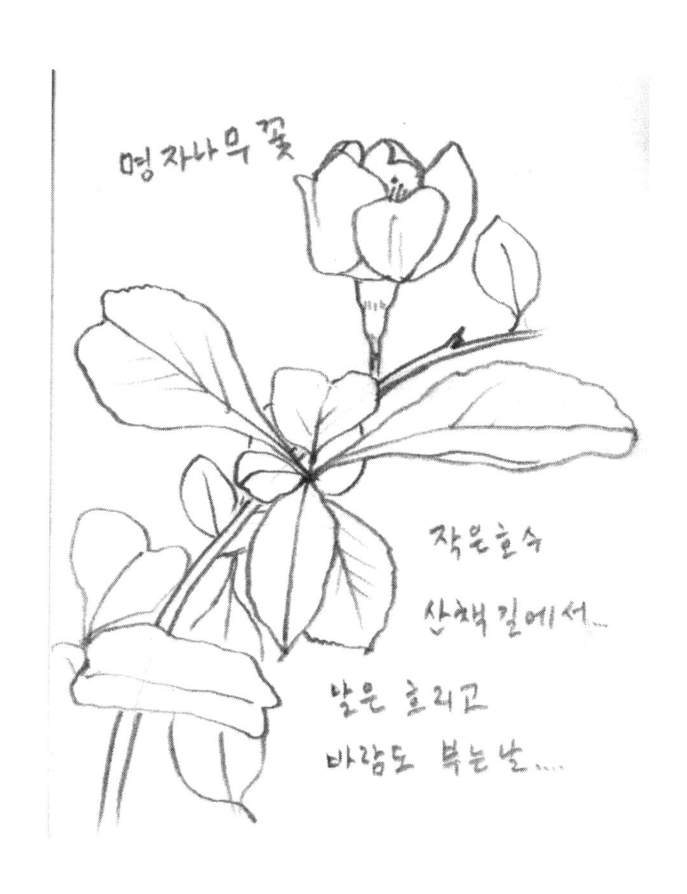
명자나무 꽃
작은호수
산책길에서…
날은 흐리고
바람도 부는날….

살아갈 수 밖에

발행 2024년 5월 10일
지은이 헤매기달인, 전예원, 구현, 최민희, 김보화, 이로새, 이현정(풀꽃화가)
라이팅리더 현해원
디자인 윤소정
펴낸이 정원우
펴낸곳 글ego
출판등록 2019.06.21 (제2019-000227호)
주소 서울시 강남구 강남대로 118길 24 3층
이메일 writing4ego@gmail.com
홈페이지 http://egowriting.com
인스타그램 @egowriting

ISBN 979-11-6666-487-8

© 2024. 헤매기달인, 전예원, 구현, 최민희, 김보화, 이로새, 이현정(풀꽃화가)
이 책은 저작권법에 따라 보호받는 저작물이므로 무단 전재 및 복제를 금합니다.